patch*

POUR DIRE
OUiiii AU LIT

Aude de Galard et Leslie Gogois

D1113753

« Les femmes préfèrent les hommes
 qui les prennent sans les comprendre,
 aux hommes qui les comprennent
 sans les prendre. »

Marcel Prévost

POUR VIVRE HEUREUX, VIVONS COUCHÉS !

Quand on a lu ce chiffre, on est devenues blêmes : 36 % des Français se disent très satisfaits de leur sexualité. Tant mieux pour eux. Mais où sont passés les 64 autres pour-cent ? Soit ils ont des critères d'exigence trop élevés (du type, c'est l'orgasme ou c'est nul), soit il est temps d'agir. Par mesure de précaution, on a choisi la seconde option. Et voilà comment est né le PATCH *pour dire ouiiii au lit*.

Comme on passe un tiers de notre vie à l'horizontale, autant optimiser cette vie nocturne... On n'est pas seulement là pour dormir, mais bel et bien pour réveiller nos sens. Une vie sexuelle peut vite s'endormir sur ses lauriers. Et ce serait dommage de se priver de ce grand délice gratuit et accessible sur terre.

Évidemment, **le sexe, il n'y a pas d'heure pour en manger.** Il suffit d'appuyer sur le bouton « désir » pour que de nouveaux horizons s'offrent à nous. Aujourd'hui plus que jamais, on a de grandes attentes en ce qui concerne l'érotisme... On aimerait tous avoir une sexualité effervescente. Mais peu d'entre nous s'en donnent les moyens. Sauf que le sexe, ça se cultive.

Dans ce livre, on a donc tout recensé pour :
* vivre des orgasmes fracassants ;
* relancer la machine sexuelle quand elle est grippée ;
* prendre confiance en soi sous la couette ;
* décrypter nos forces et nos faiblesses, côté sexe ;
* le rendre (encore plus) fou de désir ;
* se réaccorder sexuellement dans un couple ;
* tout comprendre sur ce qu'on ne nous a jamais dit (et qu'on n'a jamais osé demander…) ;
* faire du sexe sans complexe ;
* et pouvoir enfin dire « waouh ! » au lit.

Voici un **guide de survie sans tabou** où nous nous sommes livrées sans réserve. On a pris la substantifique moelle de nos vies sexuelles, enfin surtout celles de nos copines, pour apporter des réponses concrètes qu'on cherche toutes un jour ou l'autre. Grâce à Marianne Pauti, une sexologue hors pair, vous aurez l'avis de la pro sur les sujets les plus pointus.

Ce livre, c'est tout sauf un guide de la performance sexuelle : on n'est pas là pour vous dire comment faire toujours plus et mieux ; on est juste là pour vous montrer qu'il est facile de s'épanouir dans son parcours amoureux.

On sait toutes que la vie sous l'édredon connaît des hauts et des bas. Le tout c'est de reconnaître les hauts, de les prolonger et d'apprendre à cohabiter avec les bas. Donc, si vous connaissez une alternance entre des phases passionnées et d'autres plus calmes, pas de panique.

En revanche, ne tombez pas dans ce cercle vicieux : moins on fait l'amour, moins on en a envie... Ce livre vous donnera les clés pour inverser la vapeur.

Et rappelez-vous ce proverbe espagnol : « **À la chasse comme en amour, on commence quand on veut et on finit quand on peut.** » Sur ce, vive le sexe !

Aude é Leslie

PS : Et au fait, pardon, papa, maman, on a dû mettre **malgré nous**, au fil de ces pages, deux fois le mot « anus » et vingt-quatre fois le mot « vagin » (sans compter les déclinaisons avec vaginal...). Et pourtant, on s'était juré de les bannir au maximum. En même temps, quand on fait un bouquin sur la sexualité, ce n'est pas évident de contourner l'inévitable. Évidemment, c'est par pur professionnalisme qu'on en est arrivées là.

PS 2 : Ce livre s'adresse à tous les couples. Quand on dit « homme-femme », c'est pour simplifier la lecture. Mais on y inclut évidemment les duos homme-homme/femme-femme...

SEXE,
MODE
D'EMPLOI...

COMMENT ÊTRE BIEN
DANS SES BASKETS, CÔTÉ SEXE ?

Il faut trouver le juste équilibre, le mode de fonctionnement qui va bien à votre couple... Ni trop peu ni trop tout court.

> ✳ Entre ses envies et les vôtres,
> il y a tout un terrain de jeu à explorer.

Le tout, c'est de trouver le rythme qui vous convient. L'important, ce n'est pas la quantité qui compte sous la couette, mais bien la qualité. Et surtout, parler le même langage sexuel.

✳ 8 FAÇONS D'ÊTRE EN HARMONIE AU LIT

✳ 1. FAITES-VOUS COMPRENDRE

L'avantage dans un lit, c'est qu'on peut facilement faire passer des messages. Quand vous aimez une caresse, exprimez-vous. Sinon votre partenaire ne saura jamais ce que vous préférez.

Indiquez clairement les endroits à forte sensation ajoutée.
Guidez ses mains jusqu'à vos zones érogènes. N'ayez surtout pas honte, votre amoureux cherche à vous faire plaisir, il sera heureux

que vous l'aidiez dans cette quête. Et inversement. En plus, ces jeux de mains ont un côté très excitant dans un couple.

✳ 2. NE MENTEZ PAS SUR VOS PROUESSES

N'appâtez pas un homme avec des promesses sexuelles que vous ne tiendrez pas. Rien ne sert de se la raconter. On est souvent tentées de crâner en jouant à la fille très décomplexée, très à l'aise... Si vous avez vraiment cette nature, restez comme vous êtes ; en revanche, si ça ne vous ressemble pas, abstenez-vous.

> ✳ Si l'homme en face de vous
> est sous le charme, ce qui l'intéresse,
> c'est VOUS et non votre CV sexuel.

✳ 3. SOYEZ À L'ÉCOUTE DE VOS PETITES MAROTTES ÉROTIQUES

On est toutes pareilles : pour se mettre dans un bon *mood* sexuel, on a besoin d'être dans un contexte particulier. Certaines vont préférer faire crac-boum-hue le matin, d'autres le soir... Il y en a qui votent pour prendre une douche avant, d'autres qui adorent les longs préliminaires.

> ✳ Pour être dans les meilleures
> conditions possibles, chaque couple
> a ses trucs et astuces. Et tant mieux.

Du coup, si vous êtes pudique, inutile de faire l'amour en pleine lumière, surtout au début d'une histoire. Optez pour une ambiance tamisée avec des petites bougies ou encore le noir total, ça vous aidera à vous lâcher dans vos câlins.

Maintenant, ne devenez pas psychorigide et apprenez à vous laisser aller à des moments moins opportuns pour vous. Parce que c'est aussi une façon de découvrir de nouvelles voies vers le plaisir.

✳ 4. NE BRÛLEZ PAS LES ÉTAPES

Il faut savourer chaque phase de la découverte sexuelle : pas besoin de revisiter l'intégralité du Kama-sutra en dix jours de relation... Certains couples mettent plus de temps que d'autres pour obtenir une belle complicité sexuelle (rien de grave là-dedans : ça ne veut pas dire que vous n'êtes pas faits l'un pour l'autre).

✳ Laissez le plaisir s'installer progressivement.
On a souvent besoin d'une période de rodage
entre deux corps.

Donc, quand on ne se sent pas prête pour la brouette thaïlandaise, inutile de précipiter les choses. Rassurez-vous, si vous ne vous lancez pas aujourd'hui, ce sera peut-être pour demain.

✳ 5. APPRENEZ À GÉRER VOS DÉCALAGES

Ça arrive souvent dans un couple que l'un des deux partenaires ait envie d'aller plus loin, de dépasser les limites sexuelles actuelles (réalisation de fantasme, sodomie, etc.).

> ✳ Ce n'est jamais bon de laisser des décalages
> d'envies s'installer : parlez-en à cœur ouvert.

Si l'un d'entre vous a une envie précise et que l'autre n'est pas tenté plus que ça, essayez de comprendre le décalage et de trouver un terrain d'entente.

✳ 6. FAITES EN SORTE QUE LE PLAISIR SOIT ÉQUITABLE

Ne vous focalisez pas sur son plaisir uniquement. Pensez aussi à vous... Car, à chaque câlin, le but est bien que les deux prennent leur pied.

> ✳ Une relation sexuelle réussie, c'est penser
> autant au plaisir de l'autre qu'au sien.

50 % des Français affirment toujours chercher à donner le plus de plaisir possible à leur partenaire avant de chercher à en prendre eux-mêmes. 30 % affirment le contraire.

Source : *Francoscopie 2007.*

✳ 7. METTEZ VOS COMPLEXES DE CÔTÉ

Pour se laisser aimer, il faut avant tout s'aimer soi-même :
* soit en acceptant de vivre avec ses petits complexes,
* soit en se prenant en main pour les éradiquer.

Si vous n'aimez pas vos bourrelets du ventre, mangez équilibré et faites des abdos. Sinon, apprenez à cohabiter avec eux.

✳ 8. ARRÊTEZ DE VOUS CALQUER SUR LES AUTRES

À écouter les récits croustillants de nos amis et autres racontars de la presse féminine, on a l'impression que la planète entière est plus épanouie que nous sous la couette. Que personne n'a de tabous. Que tout le monde s'éclate au lit, avec orgasme à la clé.

Eh bien, c'est FAUX. Enfin, ce n'est pas tout à fait vrai : chaque couple connaît des pics sexuels, des moments d'extase incroyables... qui sont forcément alternés avec des étreintes plus routinières. Voire des périodes de berne sexuelle où la libido est en veilleuse. Sauf que, dans un dîner, on a plus tendance à raconter ses sommets sexuels que ses petites pannes...

✳ En résumé : tous les câlins
ne sont pas égaux face au plaisir.

En fait, faire l'amour, c'est comme manger un croissant : parfois, c'est l'orgasme culinaire, on en avait trop envie et on le savoure comme jamais. Et parfois, c'est juste un croissant ordinaire. Pas si mal, mais pas si fou.

> « Le cœur, de par sa situation,
> arbitre le cerveau et la libido. »
>
> Olivier Sax

✳ Un couple SEXUELLEMENT épanoui,
c'est un couple qui se dit :
« Ça ne pourrait pas être mieux
SEXUELLEMENT ailleurs. »

Attention ! ici, on parle bien d'entente sexuelle et non de sentiments.

Et pour qu'un couple soit épanoui tout court, il faut qu'il soit :

⋯⋗ sexuellement épanoui,

⋯⋗ sentimentalement épanoui,

⋯⋗ épanoui en termes de projets communs (quel que soit le projet : vivre sous le même toit, enfant, éducation, voyage, dépenses et finance…).

SOYEZ ACTRICE
DE VOTRE HISTOIRE SEXUELLE

* 49 % des hommes pensent que le plus grand tue-l'amour, c'est le manque d'enthousiasme et la passivité de leur partenaire.

Alors n'hésitons pas à participer activement aux ébats ! Car, souvent, la peur de mal faire ou de passer pour une fille « légère » nous bloque. Or ce chiffre est imparable : **sous la couette, mieux vaut se lâcher que se contenir.**

TEST QUEL COUPLE SEXUEL ÊTES-VOUS ?

Armez-vous d'un stylo et répondez du tac au tac aux questions suivantes :

1. Pour vous, faire l'amour, c'est :
a. Un corps à corps fougueux ★
b. Une osmose à deux ❖
c. Un second langage ◆

2. Vous voyez le Kama-sutra comme un moyen de :
a. Varier les plaisirs ◆
b. S'éclater au lit ★
c. Fantasmer ❖

3. L'idée qui vous excite...
a. Faire l'amour sur une peau de bête au coin du feu ❖
b. Tester le sexe tantrique ◆
c. Faire l'amour dans un avion ★

4. Votre couple connaît une panne de libido. Comment réagissez-vous ?
a. Vous en parlez à cœur ouvert avec votre partenaire ◆
b. Vous privilégiez la tendresse et la complicité. Il y aura forcément des jours meilleurs ❖
c. Vous sortez le grand jeu en vous forçant un peu ★

5. Le partenaire idéal ? Celui qui...

a. Adore les préliminaires ❖
b. Anticipe vos envies ◆
c. Fuit la routine sexuelle à tout prix ★

6. Pour vous, le sexe, c'est...

a. Un moment de partage ◆
b. Un moment volcanique ★
c. Un moment passionné ❖

7. Quitte à choisir, quel homme prendriez-vous dans votre lit ?

a. Wentworth Miller de *Prison Break* (en faisant abstraction du fait qu'il est homo...) ★
b. Ben Affleck (en faisant abstraction du fait qu'il est marié avec Jennifer Garner...) ❖
c. Robert Redford (en faisant abstraction du fait que ça pourrait être votre père) ◆

8. Et vous, vous aimeriez vous glisser dans la peau de...

a. Audrey Tautou ❖
b. Laetitia Hallyday ◆
c. Monica Bellucci ★

LES VŒUX SONT FAITS...

Vous avez une majorité de ★ ?
Vous êtes un couple « Kama-sutra »

⸱⸱⸱❖ **La sexualité rime pour vous avec sensations fortes.**
Vous prenez les câlins comme des piqûres d'adrénaline, pleines de sensualité. Selon vous, le plaisir doit être décomplexé et sans tabou. Ce que vous aimez par-dessus tout : explorer de nouvelles contrées sexuelles en duo. Pas question de se cantonner au lit « conjugal », tous les recoins de l'appartement sont bons à prendre.

⸱⸱⸱❖ **Au moins, avec vous, on ne s'ennuie pas. Mais attention à ne pas vous essouffler...**
Vous adorez dépasser vos limites à deux, et vous vous motivez pour toujours plus de fantaisie. Mais soyez vigilante, car trop d'esbroufe et de mise en scène étouffe parfois l'essentiel... Apprenez à écouter vos vraies envies plutôt que de chercher à aller toujours plus loin. Et surtout, soyez attentive à ce qu'il n'y ait pas de décalage.

Vous avez une majorité de ❖ ?
Vous êtes un couple « Tendre-sutra »

⸱⸱⸱❖ **La sexualité rime pour vous avec romance et douceur.**
Faire l'amour, c'est un acte tendre et romantique... Vous êtes fan de papouilles et mamours. Sexualité et sentiments ne peuvent aller l'un sans l'autre. Et, quitte à choisir, vous vous sentez plus l'héroïne d'un roman de Juliette Benzoni que Sharon Stone sans culotte dans *Basic Instinct*.

····❖ **Au moins, avec vous, les étreintes sont passionnées et partagées. Mais attention à ne pas vous endormir dans une sexualité trop ronronnante.**
N'hésitez pas à distiller un peu de piment dans vos ébats, ne soyez pas toujours là où l'on vous attend. Parce qu'un câlin vraiment très fougueux, voire bestial de temps en temps, ça soude un couple.

Vous avez une majorité de ♦ ?
Vous êtes un couple « Union-sutra »

····❖ **La sexualité rime pour vous avec partage.**
Votre lit est le terrain d'expression de vos sentiments... Vous pouvez tout vous dire sous la couette, car la sexualité est un moyen de communiquer au-delà des mots. Complices, vous êtes un couple soudé et épanoui sexuellement.

····❖ **Au moins, avec vous, il n'y a pas de chacun pour soi.** Votre plaisir est aussi important que celui de l'autre. Vous ne laissez jamais un non-dit s'installer entre vous. Mais attention, il est parfois bien de préserver un peu de mystère : quand on parle trop de ce qu'on ressent, on risque d'abîmer parfois la spontanéité des sentiments.

FAIRE L'AMOUR,
EST-CE UN ACTE PRÉMÉDITÉ ?

La décision de faire l'amour se prend, dans 56 % des cas, quelques minutes avant le rapport. Et dans 27 % des cas, quelques secondes avant...

L'ORGASME
SOUS TOUTES SES COUTURES

> « Les hommes ne simulent jamais l'orgasme :
> aucun homme ne chercherait à faire cette
> tête-là volontairement. »

Barbara et Allan Pease, *Pourquoi les hommes n'écoutent jamais rien
et les femmes ne savent pas lire les cartes routières*

✳ LA DÉFINITION...

Moment le plus intense de la réaction sexuelle s'accompagnant d'un plaisir fort et de réactions physiques multiples comme des contractions musculaires involontaires, au niveau du plancher pelvien.

Source : *Petit Larousse de la sexualité.*

✳ CE QUI SE PASSE EN NOUS...

Quand on atteint l'orgasme, on vit une **perte de contrôle de notre corps et de nos pensées, comme si on échappait au temps et à l'espace**, le tout s'accompagnant d'une respiration haletante, d'un gémissement (voire d'un cri) divin. Bon, mais tout ça est à réinterpréter à sa façon car il existe autant d'orgasmes que d'individus.

Mais un orgasme, ça se passe aussi dans le cerveau puisqu'on sécrète des endorphines, la « morphine naturelle » à qui l'on doit ce sentiment de bien-être.

La recherche de l'orgasme, c'est clairement une affaire de couple. Si on n'y arrive pas à tous les coups, on se rassure, c'est tout à fait NORMAL. On n'est pas des machines avec des réactions mécaniques bêtes et méchantes. Surtout les femmes. Si notre esprit est encombré par des interdits, des contrariétés, le poids de l'éducation et autres, difficile d'atteindre le septième ciel à chaque câlin.

Au début d'une histoire, il faut prendre le temps de se découvrir. D'un partenaire à l'autre, les zones érogènes changent. Donc on n'hésite pas à guider l'autre sous la couette pour lui faire comprendre ce qui nous fait décoller. Et on ne s'impatiente pas : les premières semaines sexuelles sont rarement les meilleures. Bien sûr, il y a le plaisir et l'excitation de la découverte, mais il y a aussi l'appréhension, le côté gauche qui entrent en compte. Donc laissez-vous le temps d'apprivoiser vos appétits sexuels.

✳ L'ORGASME CLITORIDIEN VERSUS L'ORGASME VAGINAL

Bonne nouvelle, nous les femmes, on peut connaître deux types d'orgasmes : le vaginal et le clitoridien (provoqué par la stimulation du clitoris, petit organe très sensible au-dessus de l'entrée du vagin). Certaines d'entre nous peuvent connaître les deux mais, globalement, voici la division des plaisirs :

et nous sommes assez peu nombreuses à décrocher des orgasmes provoqués uniquement par le vagin.

Donc on arrête de penser qu'il faut à tout prix connaître l'orgasme vaginal. Certaines femmes ont un vagin plus réceptif, et ce en raison de la quantité de terminaisons nerveuses qui varient d'une personne à une autre.

✳ CONSEIL DE FILLES À L'ATTENTION DES GARÇONS

N'hésitez pas, lors d'un câlin, à associer pénétration vaginale et stimulation clitoridienne. Il n'y a rien qui nous fasse plus grimper aux rideaux ! Après, chacun gère le schmilblick comme il veut : avec la main, par frottement du sexe contre le clitoris ou encore en alternant cunnilingus et pénétration.

✳ ET SI JE SUIS BLOQUÉE CÔTÉ ORGASME ?

⋯▷ **On relativise**, ça peut arriver à chacune de nous... Et on arrête d'écouter les fausses copines qui prétendent vriller de bonheur à tous les coups.

⋯▷ **Essayez de vous sonder :** certaines femmes ont du mal à se lâcher dans un lit... Elles n'aiment pas l'idée de perdre le contrôle.

Du coup, inconsciemment, elles s'empêchent d'accéder aux délices de la chair.

···▷ **Il arrive parfois qu'on frôle le plaisir suprême et qu'on n'ose pas y céder**, soit parce qu'on a peur du regard de l'autre, soit à cause du poids de l'éducation... Dans ce cas-là, soyez actrice de votre plaisir. Faites en sorte de basculer vers l'orgasme, sans hésiter à stimuler à deux vos zones érogènes au moment fatidique. N'oubliez pas que l'on reste maître de son plaisir...

···▷ **La masturbation a du bon.** Puisqu'elle vous permettra de découvrir vous-même vos sources de plaisir. Et dites-vous que si vous arrivez à atteindre la jouissance en solo, vous y arriverez en duo. Pour tout savoir, foncez page 177.

···▷ **Arrêtez d'en faire une affaire d'État quand votre couple est en panne d'orgasme.** Plus vous y penserez, plus ça bloquera. Recentrez vos ébats sur ce qui est agréable sous la couette (caresses, papouilles, mordillages, suçotages), l'excitation se remettra en route progressivement. Et ça ne veut en aucun cas dire que votre couple bat de l'aile. Sauf si les symptômes persistent dans le temps... auquel cas, n'hésitez pas à aller voir un thérapeute de couple ou un sexologue.

···▷ **Et on se rappelle qu'on peut avoir une relation sexuelle épanouie même sans orgasme.** Ce n'est pas une obligation de couple. On peut être tout aussi comblés avec des caresses, de la tendresse et des contacts rapprochés. Le sexe sans orgasme, c'est bien aussi.

✳ L'ORGASME EN CHIFFRES

* L'orgasme, c'est une sensation de plaisir infini qui se traduit par des contractions vaginales toutes les **0,8 seconde**.

* Pendant l'orgasme, le cœur s'emballe : ses battements atteignent **180 pulsations par minute**.

* Un homme peut atteindre un orgasme **en moins de 2 minutes chrono**, là où la femme peut avoir besoin de **20 minutes de stimulation** pour décrocher le cocotier. Et inversement ! Alors gare aux partenaires qui bâclent les préliminaires.

* Côté durée, un orgasme masculin dure environ **8 secondes**... Alors que nous, petites veinardes, on peut connaître cet état de grâce pendant **presque 2 minutes**.

* **42 % des hommes et 30 % des femmes** attachent une grande importance à avoir un orgasme en même temps que leur partenaire. Pas facile si l'on se réfère aux deux moyennes ci-dessus...

* **16 % des femmes** se disent sujettes à des problèmes d'orgasme.

* **Seuls 10 à 15 % des femmes** connaissent des orgasmes consécutifs dans le même câlin.

Sources : *Questions de filles*, Le Cherche-Midi ; *Petit Larousse de la sexualité* ; *La Sexualité*, Marabout, coll. « Magazine de la Santé » ; *Francoscopie 2007*, Larousse.

VOILÀ COMMENT ELLES
DÉCROCHENT UN ORGASME...

* **« Moi, je crois que le goût du risque y est pour beaucoup :** dès qu'on est dans une situation où l'on a des chances d'être pris en flagrant délit, ça nous excite. Que ce soit dans un ascenseur bloqué sur le bouton « stop », sur une plage déserte (jusqu'au moment où...), sous un porche en pleine nuit, tout est bon à tester. J'ai besoin d'adrénaline pour connaître l'extase. »
Sybille, 28 ans

* **« J'ai remarqué que j'arrivais à jouir juste après lui.** J'ai besoin de voir mon homme pleinement comblé pour m'abandonner à mon tour. Maintenant, ce que j'aimerais trouver, c'est comment vivre un orgasme en simultané. »
Olivia, 30 ans

* **« Mon amoureux est un magicien côté préliminaires.** Je décroche des orgasmes même avant la pénétration, tant ses lèvres aventureuses me connaissent par cœur. Quand je repense à nos débuts trébuchants, je n'aurais jamais imaginé tant décoller sous la couette. »
Zoé, 26 ans

* **« Il a fallu que j'attende de tomber sur Damien, un féru des câlins d'en bas** pour connaître mon premier orgasme. Jusqu'alors, mon CV sexuel se limitait à un enchaînement de corps à corps bêtes et méchants. Alors, c'est sûr je prenais du plaisir, et je pensais que c'était ça un orgasme. Sauf que le jour où j'en ai croisé un, j'ai compris que mon clitoris serait mon meilleur allié dans la quête du plaisir... »
Amalia, 31 ans

* « C'est mathématique : **si la pièce où on fait l'amour est plongée dans le noir le plus complet, ça réveille tous mes fantasmes.** Je me sens complètement libérée, sûrement parce que je n'ai pas à gérer le regard de l'autre. Bizarre, bizarre qu'on vienne d'installer des rideaux triple épaisseur dans notre chambre... »
Rebecca, 29 ans

* « **La clé du succès côté orgasme ?** Des préservatifs nervurés. Ça me titille tout plein de trucs à l'intérieur. Essayez, vous verrez bien... »
Rosalie, 32 ans

* « **Moi, mon plaisir, je le déclenche en solo à tous les coups.** Je le dois à un sex-toy rose bonbon, offert par mes copines pour mes 30 ans. En couple, c'est une autre affaire. Mais c'est normal, ne dit-on pas qu'on n'est jamais mieux servi que par soi-même ? »
Hélène, 31 ans

∗ « **Le truc qui marche à tous les coups : une mise en scène romantique**, ambiance bougies et pétales de rose. Et surtout une petite coupe de champagne... Car dès que je suis pompette, mes barrières tombent. Tant que c'est avec modération, évidemment ! »
Faroudja, 33 ans

∗ « Un conseil de copine ? **Essayez de faire crac-boum-hue assise sur la machine à laver en programme séchage.** »
Isabelle, 20 ans

Si la fréquence (même faible) de vos rapports sexuels convient à votre couple, arrêtez de vous poser des questions.

C'est que vous avez trouvé votre rythme !

Tout le monde n'a pas la libido de Rocco Siffredi, et ne s'en porte pas plus mal.

QUAND L'APPÉTIT SEXUEL VA,
TOUT VA...

L'appétit sexuel est bien souvent au cœur des (d)ébats amoureux...
Pas facile d'être épanouie sexuellement quand on doit mener de front vie perso et vie pro. Or, s'il y a bien quelque chose qu'on ne commande pas, c'est sa faim sexuelle qui conditionne pourtant toute relation amoureuse.

✳ À CHACUNE SON APPÉTIT

Premier constat : il y a presque autant d'appétits sexuels qu'il y a de femmes. Pour certaines, à moins d'un câlin par jour, elles ont l'impression de passer à côté de leur vie érotique, alors que d'autres se contentent parfaitement bien d'un câlin tous les quinze jours.

L'appétit sexuel, c'est comme l'appétit dans l'assiette : il existe une vaste palette entre celles qui picorent et celles qui tombent dans le plat. Gare aux idées toutes faites : ce ne sont pas les plus gloutonnes qui ont tout bon, puisqu'un gros appétit sexuel ne veut pas forcément dire extase sous la couette.

✳ Ce qui compte vraiment, c'est que votre appétit sexuel et celui de votre partenaire s'accordent.

Et s'il y a des baisses de régime, pas d'inquiétude. Tous les couples passent par des phases où l'un des deux a des envies moins voraces pendant quelque temps... Cela s'explique par une foule de choses : stress, changement de job, maladie, décès d'un proche, complexes physiques, arrivée d'un bébé... Reste juste à tout faire pour que ce décalage soit limité dans le temps.

Et ça, on vous fait confiance pour raviver la flamme entre vous au bon moment :
* Organisez-vous un week-end en amoureux, loin du quotidien ;
* montrez-lui que vous éprouvez du désir pour lui ;
* gardez un contact charnel entre vous : papouilles devant la télé, petites caresses inattendues, bisous dans le cou... ;
* prenez un bain ensemble ;
* baladez-vous à demi-nue dans l'appartement ;
* faites-lui un massage à la lumière tamisée ;
* roulez-vous des pelles comme aux premiers pas de votre histoire.

✳ ENNUI OU MONOTONIE ?

Attention, la monotonie n'est pas forcément synonyme d'une baisse d'appétit sexuel : tant que vous éprouvez du plaisir, le compte est bon. Peu importe que vos relations sexuelles aient toujours lieu au même endroit, dans les mêmes positions.

En revanche, dès que l'ennui pointe son nez, agissez.
Il n'y a rien de pire que de s'emmerder au lit en pensant à son linge

à étendre... Votre libido mérite d'être boostée. Si c'est l'état d'esprit de votre couple, essayez d'en parler avec votre partenaire en lui suggérant de nouvelles choses que vous aimeriez bien expérimenter avec lui.

> * Il arrive très fréquemment que l'ennui soit partagé par les deux sans qu'ils n'osent jamais en parler.

Le saviez-vous ?

···⟩ 50 % des hommes considèrent comme difficilement supportable de ne pas faire l'amour durant plusieurs mois, contre seulement 34 % des femmes.

···⟩ 18 % des hommes et 26 % des femmes se passeraient sans difficulté de sexualité.

Source : *Francoscopie 2007*.

LE POINT G,
C'EST G-NIAL !

La nouvelle rassurante ? Toutes les femmes ont un point G.

> ✳ Il s'agit d'une zone érogène, qui se trouve
> sur la paroi antérieure du vagin, à 2 ou 3 cm
> environ de l'entrée.

Plus qu'un point, c'est carrément une « zone industrielle du plaisir ».
**Le point G a la taille d'une pièce de 2 euros et gonfle lorsqu'il
est stimulé.** Dans les premiers instants, ça donne surtout envie de
faire pipi (très glamour...), mais tenez le coup car, dans un second
temps, cela procure des sensations fortes en plaisir.

Certaines d'entre nous atteignent même l'orgasme... Il arrive aussi
qu'une éjaculation d'une petite dose de liquide survienne à ce
moment-là des glandes de Skene, dites prostate féminine, situées
entre le vagin et l'urètre. **C'est ce que l'on appelle l'éjaculation
féminine.**

Du coup, prenez votre point G comme un bonus de plaisir. Mais surtout pas un bouton magique qu'il suffirait d'enclencher pour provoquer l'extase. Ce serait bien trop simple.

✳ POURQUOI ÇA S'APPELLE LE POINT G ?

Parce que l'on doit cette découverte à Ernest Gräfenberg, un gyné-cologue allemand, qui publia en 1950 un article consacré à cette région du vagin. Ses travaux furent repris dans les années 1980 par deux sexologues qui ont reconnu la paternité de cette découverte de Gräfenberg en nommant cette zone le point G.

✳ PETITE MÉTHODE SIMPLE POUR STIMULER SON POINT G

Certaines positions favorisent la « G attitude ». Et notamment, tou-tes les positions où l'homme se trouve derrière la femme (comme la levrette) ou lorsque la femme est à califourchon sur son partenaire.

Le saviez-vous ?

Il existerait une multitude de frères et sœurs au point G. Certains spécialistes parlent du point A (comme antérieur) qui est dans l'ali-gnement du point G (à 3 cm environ, juste au-dessus). Il existerait aussi le point C (à deux « doigts » du col de l'utérus) et enfin le point P (comme postérieur), le voisin du rectum. Pas facile de s'y retrouver dans l'alphabet orgasmique !

Le saviez-vous ? (bis)

Une nouvelle mode fait fureur à Los Angeles... **Doper son point G en y injectant une dose de collagène**, histoire de mettre toutes les chances de son côté pour connaître la jouissance suprême. D'après l'inventeur de cette méthode, le docteur Matlock, le point G devient plus costaud, donc plus facile à stimuler, grâce à cette injection.

Pour être honnête, on n'est vraiment pas pressées que cette tendance débarque dans l'Hexagone parce qu'on reste persuadées que la quête de l'amour et des sens doit passer par une phase de découverte, de tâtonnements qui font partie du flirt sexuel, si délicieux. Et puis, on sait bien que l'atteinte d'un orgasme n'a rien de mécanique...

L'AVIS DE LA PRO, MARIANNE PAUTI
MYCOSES ET AUTRES PETITS TRACAS

Ça me brûle, ça pique, ça me gêne, ça gratouille… Au secours, il se passe un truc pas normal. Tour d'horizon de ce que je dois faire vite et bien.

QU'EST-CE QU'UNE MYCOSE ?

La mycose est une maladie due à un champignon, le *Candida albicans* (c'est pour ça qu'on parle aussi de candidose). C'est très fréquent et sans aucune gravité. Mais c'est franchement désagréable parce que ça gratte terriblement au niveau de la vulve, dans le vagin et parfois les deux. On la reconnaît facilement aux démangeaisons et aux pertes qui sont épaisses et ressemblent à du lait caillé.

COMMENT L'ATTRAPE-T-ON ? EST-CE COURANT ?

Sachez que ce n'est pas une MST mais qu'il peut tout de même parfois y avoir contagion du partenaire. Dans ce cas, il faut se traiter à deux. La mycose est provoquée par un déséquilibre de la flore vaginale qui permet au champignon de se développer. On sait parfois ce qui est responsable de ce déséquilibre : les antibiotiques, les détergents ultrapuissants des piscines, les bains répétés ou les douches vaginales, par exemple, sont autant de facteurs auxquels il faut faire attention si ça revient souvent (la douche vaginale étant à proscrire pour celles qui ont cette habitude).

COMMENT SOIGNE-T-ON UNE MYCOSE ? PEUT-ON CONTINUER À AVOIR DES RAPPORTS ?

Le traitement est local avec des crèmes pour les mycoses de la vulve et des ovules pour les mycoses vaginales (les deux si l'infection est vulvaire et vaginale), pendant environ une semaine. Mon conseil est de consulter votre médecin pour être sûre du diagnostic et avoir le traitement le plus adapté. Médicalement, on peut tout à fait avoir des rapports sexuels quand on a une mycose mais, au début, c'est souvent trop désagréable parce que ça brûle et ça gratte.

ET LES AUTRES PETITS TRACAS...

1. LA CYSTITE (OU INFECTION URINAIRE)

La cystite peut être provoquée par les rapports sexuels. En effet, de par sa situation, le méat urinaire (orifice par lequel on fait pipi, situé au-dessus de l'entrée du vagin) peut être irrité lors d'un rapport. Des germes situés à l'extérieur en profitent pour remonter vers la vessie où ils se multiplient : c'est l'infection. Apparaissent alors des brûlures en urinant, une envie d'uriner beaucoup trop fréquente, voire du sang dans les urines. Là encore, c'est très désagréable mais pas grave du tout. Le traitement est un antibiotique urinaire par voie orale. Mais surtout, la bonne mesure de prévention est de penser à aller uriner après les rapports sexuels afin de chasser les germes qui auraient la tentation de remonter dans la vessie.

2. LES VAGINITES

Les vaginites sont des inflammations du vagin et donnent des brûlures. Elles peuvent être dues à des germes ou à une simple irritation. Si la brûlure dure un peu, si les pertes sont anormales, il peut être bon de consulter parce que, s'il y a des germes, le traitement est généralement simple.

ET L'HERPÈS
DANS TOUT ÇA ?

QU'EST-CE QUE L'HERPÈS ET EST-CE CONTAGIEUX ?

L'herpès est un virus. Il est extrêmement contagieux. Il fait partie de cette famille de virus que l'on garde une fois pour toutes quand on a été atteint. Ensuite parce qu'on est fatigué, stressé, malade... il se réveille et redonne une lésion presque toujours au même endroit.

L'HERPÈS, À QUOI ÇA RESSEMBLE ?

Pour le reconnaître, c'est simple, c'est le « bouton de fièvre », celui qui apparaît le plus souvent sur la bouche. Mais il est identique sur la bouche, les organes génitaux et l'anus. Avant l'apparition de la lésion, on ressent une sorte de cuisson et de démangeaison locale, puis assez vite apparaissent de petites bulles regroupées en bouquet. Enfin, la lésion s'écorche et cela devient douloureux.

S'IL A UN BOUTON D'HERPÈS SUR LA BOUCHE, PEUT-IL ME LE TRANSMETTRE « EN BAS » ?

Mauvaise nouvelle, l'herpès labial (de la bouche) peut se transmettre au niveau génital. Alors, grande prudence quant aux caresses bucco-génitales et bucco-anales lors des herpès. Un bon repère : tant que l'on voit la lésion, c'est-à-dire jusqu'à sa cicatrisation, elle est contagieuse ! S'il s'agit d'une lésion génitale, les rapports doivent être protégés pour ne pas transmettre la maladie. Mais, malheureusement, la plupart du temps, la lésion ne permet pas les rapports sexuels du fait des douleurs qu'elle procure.

COMMENT ÇA SE SOIGNE ?

Il n'y a pas de traitement curatif qui permettrait de se débarrasser définitivement du virus. En revanche, il est souvent utile de prendre un antiviral par voie orale (les crèmes sont peu efficaces) parce qu'il permet d'écourter et d'atténuer la crise d'herpès. Mais surtout, la prévention consiste à éviter tout contact entre une lésion d'herpès (quel que soit son emplacement) et les organes génitaux ou l'anus.

« Le meilleur moment de l'amour,
c'est quand on monte l'escalier. »

Georges Clemenceau

LES PRÉLIMINAIRES,
C'EST LE PASSEPORT
POUR LE PLAISIR...

C'est clairement une étape clé de l'amour. Sans préliminaires, les femmes n'arrivent pas à atteindre le plaisir suprême.

> ✳ Alors, messieurs, ne lésinez
> pas sur cet avant-goût charnel !
> Car, rappelons-le, UNE PARTIE
> DE SEXE RÉUSSIE NE SE CANTONNE
> PAS À UNE PÉNÉTRATION.

Surtout quand on sait que **37 % des femmes citent l'absence de préliminaires comme principal défaut chez leur partenaire.**

On en remet une couche : elles seraient même plus de **75 % à estimer que les préliminaires conduiraient plus facilement à la jouissance que le rapport sexuel en lui-même.** Voilà donc une mise en bouche à prendre très au sérieux !

Car c'est bien là l'injustice, **les hommes ressentent l'excitation bien plus rapidement que les femmes.** Du coup, ils ont tendance à bâcler cette phase de plaisir pour se contenter de la performance liée à la pénétration puis à l'éjaculation.

Alors que nous les femmes, on a besoin de plus de temps pour atteindre un degré de désir suffisant qui se traduit par la lubrification du vagin. Les préliminaires sont donc indispensables pour que la pénétration soit optimale.

Le saviez-vous ?
« 90 % des femmes estiment que les préliminaires sont importants. 36 % les jugent indispensables. »

✳ COMMENT RÉUSSIR DES PRÉLIMINAIRES ?
✳ QUAND ON EST UNE FEMME

* **Ne soyez surtout pas passive pendant cette phase.**
Vous avez aussi un rôle à jouer dans l'excitation de votre homme : titillez son désir, dénichez ses zones érogènes (avec les mains, la bouche, le frottement de vos seins...).

✳ QUAND ON EST UN HOMME

* **Faites durer le plaisir.**
Ce n'est pas parce que vous êtes au taquet qu'elle est prête pour la pénétration.

* **Ne vous focalisez pas sur les parties génitales de votre partenaire.**
Oui, c'est clairement une zone ultra-érogène. Mais les caresses doivent s'éparpiller sur l'ensemble du corps (seins, creux et recoins du corps, cou et visage, dos... bref, tout peut éveiller les sens). À

vous d'explorer le corps de votre moitié pour découvrir ses points sensibles.

✳ DE FAÇON GÉNÉRALE...

* **Les deux doivent participer.**

* **N'hésitez pas à faire comprendre à votre partenaire où sont vos zones érogènes.**
Soit en le guidant avec les mains, soit en manifestant votre plaisir par des gémissements sans équivoque, soit enfin en demandant clairement à l'autre (pendant ou après l'acte, ou même à un autre moment) ce qui vous ferait décoller.

* **Masturbez-vous mutuellement, car c'est un jeu amoureux 100 % gagnant.**

* **Il n'y a pas de durée réglementaire pour les préliminaires.**
Parfois, c'est le grand tralala avec des préliminaires qui durent, durent, durent. Et parfois, on passe directement au plat sans entrée. Et ça peut être bien aussi. Le tout, c'est d'alterner et que les deux s'y retrouvent.

✳ Si vous êtes un mec et que vous avez ce livre entre les mains, lisez attentivement ce qui suit...

1. On n'oublie pas « le pendant ».

Attention, les caresses ne s'arrêtent pas pile à la fin des préliminaires car **le vagin, qui n'en fait qu'à sa tête, a tendance à s'assécher rapidement**. Donc on continue à mettre de l'huile dans le moteur, à coups de caresses sur les zones érogènes.

2. On n'oublie pas « l'après ».

Maintenant que vous avez compris que les préliminaires, c'est impératif, on vous donne un dernier petit tuyau pour une vie sexuelle hyper-épanouie : ne négligez pas l'après. Une fois l'acte fini, continuez à vous faire des mamours, des caresses bourrées de tendresse. Car le côté Tarzan qui a pris son pied et se retourne pour ronfler peinard, ça met Jane dans un piteux état physique et mental. Donc **on adopte les « finiminaires »** (les préliminaires de la fin...).

L'AVIS DE LA PRO, MARIANNE PAUTI
TOUT SUR LA LUBRIFICATION

QU'EST-CE QUE LA LUBRIFICATION ?

La lubrification est une sécrétion produite par les parois du vagin. Elle apparaît lors de l'excitation sexuelle grâce aux stimulations sexuelles physiques et psychiques. Pour lubrifier, il faut être détendue et excitée.

COMMENT FAVORISER LA LUBRIFICATION ?

L'étape essentielle consiste à ne pas se précipiter et à soigner les préliminaires pour obtenir la meilleure lubrification possible. Beaucoup d'entre nous ont du mal à l'évaluer. N'hésitez pas à toucher pour apprécier où vous en êtes. Des caresses génitales ou une pénétration quand on n'est pas assez mouillée, c'est douloureux ! Et après on entre très vite dans le cycle infernal de la peur d'avoir mal qui stresse, empêche de se détendre et donc de lubrifier... Alors prenez le temps qu'il vous faut et détendez-vous.

UN CUNNILINGUS PEUT-IL AIDER ?

Votre partenaire peut vous aider en pratiquant un cunnilingus. En effet, le contact mouillé peut entraîner de l'excitation et faciliter la stimulation du clitoris. Mais la salive ne peut pas véritablement servir de lubrifiant parce qu'elle va « sécher » trop vite, contrairement aux sécrétions produites par le vagin.

ET SI MALGRÉ TOUT, JE NE LUBRIFIE PAS ASSEZ...

Certaines d'entre nous ne sont pas assez lubrifiées, c'est pourquoi la pénétration ou les caresses peuvent entraîner des irritations. Dans ce cas, il ne faut pas hésiter à utiliser un lubrifiant qui permet de pallier cet inconvénient. On peut les acheter entre autres dans les pharmacies et les sexy-shop. Petit détail pratique, attention au lubrifiant que vous choisissez, il doit être aqueux pour être compatible avec les préservatifs si vous en avez l'usage. Sinon, il risquerait de rendre le préservatif inefficace.

COMMENT UTILISER UN LUBRIFIANT ?

Sachez intégrer l'utilisation du lubrifiant dans votre jeu érotique. Vous pouvez l'utiliser en badigeonnant votre propre sexe ou celui de votre partenaire, voire d'autres parties de votre corps, si cela vous excite. Bien entendu, votre partenaire peut l'utiliser lui-même. Sachez que souvent la sensation de lubrification que cela procure entraîne une augmentation de sa propre sécrétion mais, si cela est nécessaire, n'hésitez pas à en mettre plus ou à en remettre.

LES ZONES ÉROGÈNES,
LE MEILLEUR STRATAGÈME

Pour obtenir des orgasmes fracassants, il faut impérativement passer par la case des zones érogènes, le meilleur relais du plaisir dans la relation sexuelle.

✳ LES CINQ SENS EN ACTION

Tout compte quand il s'agit de sensualité et de plaisir charnel :

* évidemment le **toucher** (que ce soit avec les mains ou la bouche) ;
* mais aussi la **vue** (surtout pour les hommes qui aiment regarder la scène autant qu'ils aiment la vivre) ;
* l'**odorat** (notamment l'odeur de la peau) ;
* le **goût** (c'est le moment de faire attention à son hygiène car sinon, on tombe dans le dégoût) ;
* et enfin l'**ouïe** (le moindre cri de plaisir, la respiration qui s'accélère, le frottement des draps, autant d'éléments qui font totalement partie de l'acte sexuel).

 Donc, ne vous mettez pas de limites et ouvrez toutes les vannes pour absorber les délices qui s'offrent à vous.

✳ LES ZONES ÉROGÈNES, ÇA MARCHE COMMENT ?

Derrière le mot « érogène » se cachent tous les endroits du corps qui, effleurés, caressés, bref titillés, provoquent une stimulation sexuelle. Normal quand on sait qu'ils sont truffés de récepteurs sensoriels. On en distingue deux types :

✳ 1. LES ZONES ÉROGÈNES PRIMAIRES

Ce sont les organes génitaux eux-mêmes et les parties qui sont situées autour du sexe, féminin ou masculin, et qui, stimulées, peuvent vous faire décrocher un orgasme. Autant dire qu'il faut les bichonner !

Et pour ne pas taper à côté, on a été fureter dans notre *Larousse de la sexualité* et voici la substantifique moelle des zones primaires :

⋯⟡ **Chez l'homme :** la verge (la peau qui la recouvre procure beaucoup de plaisir *via* le frottement sur le gland, que ce soit au moment de la masturbation ou de la pénétration), le gland (particulièrement sensible à sa base), les testicules, le périnée qui se situe entre le pénis et l'anus.

⋯⟡ **Chez la femme :** le clitoris, le vestibule de la vulve, les petites lèvres, les grandes lèvres et le vagin (qui n'est pas vraiment sensible au toucher mais l'est totalement grâce aux contractions musculaires de sa paroi ainsi qu'aux afflux sanguins qui s'y produisent...).

On peut aussi citer le point G même s'il y a débat sur cette zone car toutes les femmes ne ressentent pas forcément de plaisir au niveau de la face antérieure de leur vagin (pour tout savoir, foncez page 35).

✳ LES ZONES ÉROGÈNES SECONDAIRES

Eh bien, ce sont toutes les autres zones qui sont sources de plaisir quand on les caresse et qui provoquent l'excitation des zones érogènes primaires. Elles changent d'une personne à l'autre.

Alors à vous de tester les recoins du corps de votre partenaire pour savoir ce qui le fait vriller. Quelques pistes à explorer : la bouche, les oreilles, le cou, les seins, les tétons, le haut des cuisses, les fesses, les aisselles, les plis des bras et des genoux, l'anus (oups, ça y est, le mot est lâché...).

✳ CONSEILS DE BONNES COPINES
✳ GOÛTE ÇA, ET DIS-MOI

✳ **Nous, les filles, on raffole des papouilles des tétons.** Les seins sont une zone super érogène chez nous. Du coup, on a tendance à vouloir rendre la pareille à nos hommes en leur mordillant les mamelons.

✳ Sauf que, méfiance... **la gent masculine est vraiment partagée sur ce sujet** : certains succombent littéralement à ces mamours, là où d'autres n'y voient aucun intérêt (ou y éprouvent même une sensation désagréable). Le mieux, c'est de tester pour voir s'il est friand ou pas. Guettez ses réactions pendant et juste après.

✳ TOUT EST UNE QUESTION DE CONTEXTE

* Pour qu'un câlin soit réussi, **il faut se sentir dans le *mood*.** Car si on est stressée, contrariée et absorbée par tout autre chose, on ne ressentira peu ou pas de plaisir face à des caresses qui habituellement nous auraient émoustillée.

* **La clé pour se sentir détendue et être réceptive ?** Prenez un bon bain, faites-vous masser par votre homme, éteignez votre portable, faites-vous toute belle, portez une tenue dans laquelle vous vous sentez sexy...

* C'est un peu comme quand on va au ciné : **parfois un film nous laisse de marbre alors que, en théorie, il aurait pu nous faire brûler d'émotion.** Mais il suffit qu'il y ait un hic dans notre cerveau (j'aurais mieux fait de... plutôt que d'être là, il ne faut pas que j'oublie de...) et hop, on met un filtre négatif entre nous et le film. Du coup, on n'en profite pas. Idem pour les câlins :

✳ Le moindre parasite (physique
ou psychologique) brouille notre plaisir.

L'AVIS DE LA PRO, MARIANNE PAUTI
VOUS SAUREZ TOUT SUR LE ZIZI

La taille du sexe de l'homme reste encore un grand fantasme de puissance et il est bon de mettre les choses un peu au point. À de très rares exceptions près, les hommes ont tous un sexe de taille « normale », c'est-à-dire permettant d'avoir des rapports sexuels satisfaisants.

> Il est totalement faux de croire
> que plus la verge est longue
> et/ou grosse, plus le plaisir est grand.
> Ça n'a strictement rien à voir.

Question d'esthétique ? C'est une affaire de goût ! Sachez qu'un sexe « trop » grand en érection peut aussi effrayer plutôt qu'exciter.

QUESTION PRATIQUE, COMMENT LE MESURER ?

Munissez-vous d'un mètre souple (mètre ruban de couturière). La taille de la verge se mesure en érection, ça va de soi. Il y a deux mesures : la longueur qui se calcule depuis l'insertion sur le bas ventre jusqu'à l'extrémité, et la circonférence. En moyenne, la longueur est de 15 cm et la circonférence de 9 cm. Mais ce sont des moyennes et c'est surtout l'art et la capacité de savoir s'en servir qui feront un bon amant.

PETITS POINTS DE REPÈRE

POUR CELLES ET CEUX QUI ONT PEUR D'UNE TROP PETITE TAILLE, sachez que la partie du vagin la plus sensible lors de la stimulation vaginale est son premier tiers, c'est-à-dire ses sept premiers centimètres. Pour la stimulation du clitoris, ce sont surtout les positions qui comptent.

INVERSEMENT, SI LA VERGE VOUS SEMBLE TROP LONGUE, là encore, des positions adaptées permettent des relations sexuelles très satisfaisantes.

Quant au diamètre, le vagin est extrêmement plastique et a la possibilité de s'adapter à des diamètres très variables : il peut se faire très étroit lorsqu'on le sert et se dilater jusqu'à laisser passer la tête d'un bébé !

ENSUITE VIENT LA QUESTION DE LA FORME

Là encore, il existe autant de formes que d'individus, et la forme n'a rien à voir avec les performances sexuelles. Et les sexes courbés ? Ça fait partie des variantes. Aucun problème si cela n'empêche pas la pénétration. En revanche, si la pénétration n'est pas possible ou si l'érection ne tient pas, il vaut mieux consulter. Et le frein ? Il peut être absent ou présent. Absent à la suite d'une intervention chirurgicale pour des motifs religieux ou médicaux. Absent aussi parce qu'il a pu se déchirer, lors d'un rapport sexuel. Ça peut tout à fait arriver, lors d'un rapport fougueux, et ça n'est pas grave du tout.

En conclusion ?

La taille, la forme, l'anatomie du sexe de l'homme n'ont rien à voir avec les performances sexuelles. Un bon amant est un amant habile.

MÉTHODES DE CONTRACEPTION
LAQUELLE CHOISIR ?

La contraception : voilà bien un sujet sur lequel il ne faut pas lésiner... Parce qu'il peut suffire d'une fois pour se retrouver avec un + sur un test de grossesse (pas forcément positif pour nous...). Le mieux pour bien choisir sa contraception, c'est d'être informée sur toutes les méthodes qui existent.

Car chacune d'entre nous a un mode de vie, des attentes et des amours qui diffèrent... Donc à vous de trouver la contraception qui vous va le mieux. Rien ne remplace l'avis médical. Mais, pour vous, on a compilé toutes ces précieuses infos grâce au site Internet www.contraceptions.org, une pépite en la matière...

✳ 1. LA PILULE

Il existe **deux types de pilules** :

⋯⋗ **La pilule œstro-progestative** qui agit en bloquant l'ovulation (ce qui implique une mise au repos des ovaires) par une combinaison d'hormones de synthèse (œstrogènes et progestatifs).

⋯⋗ **La micropilule** qui agit essentiellement en modifiant la glaire pour empêcher les spermatozoïdes de franchir le col (à l'exception de la pilule Cerazette qui, comme une pilule œstro-progestative, supprime l'ovulation).

Son **efficacité est quasiment de 100 %**, dès lors qu'elle est prise régulièrement et qu'on ne l'oublie pas. Évidemment, on vous rappelle qu'elle **ne protège pas contre les IST** (infections sexuellement transmissibles) ; alors tant qu'on n'est pas sûre de son partenaire et qu'on n'a pas fait chacun un bilan sanguin, on continue le duo pilule + préservatif. Côté prix, il faut compter entre **7 et 27,50 euros environ pour trois plaquettes**.

Les +

* très bien tolérée ;
* efficace dès le premier comprimé ;
* permet d'avoir des cycles réguliers puisque les règles débarquent dès qu'on arrête la prise d'hormones ;
* les règles sont moins abondantes, moins douloureuses et durent moins longtemps.

Les -

* de petits saignements peuvent survenir, en dehors des règles (surtout lors des premières plaquettes). Si les symptômes persistent, allez faire un tour chez votre gynéco ;
* peut parfois être à l'origine de nausées ;
* il peut y avoir quelques douleurs et gonflement des seins.

L'AVIS DE LA PRO, MARIANNE PAUTI
OUPS, J'AI OUBLIÉ MA PILULE...
QU'EST-CE QUE JE FAIS ?

NE CÉDONS PAS À LA PANIQUE ! IL EXISTE DIVERS
MOYENS DE RATTRAPER LES CHOSES.

D'abord, de quand date cet oubli ? Reprenez votre plaquette et
essayez de voir quand vous avez oublié de la prendre. La plupart des
pilules peuvent être prises avec un décalage de douze heures en
gardant leurs vertus contraceptives. Si vous avez le moindre doute,
lisez la notice ou, mieux, appelez votre médecin ou votre gynéco.

SI LE DÉCALAGE EST TROP GRAND, VOUS AVEZ 72 HEURES APRÈS
LE RAPPORT SEXUEL POUR PRENDRE UNE PILULE D'URGENCE (dite
« pilule du lendemain », mais vous avez trois jours). Il faut
prendre un seul comprimé, le plus tôt est le mieux. Il s'agit d'une
grosse dose d'hormones qui bloque l'ovulation et empêche aussi
l'implantation de l'œuf fécondé dans l'utérus. On comprend donc que
l'efficacité est d'autant plus grande qu'elle est prise précocement.

Il faut savoir qu'elle vous est délivrée par le pharmacien avec ou sans ordonnance, ou dans les centres de planning familial. Elle est gratuite pour les mineures.

SACHEZ QUE CE N'EST PAS PARCE QUE VOUS AVEZ PRIS UNE CONTRACEPTION D'URGENCE QU'IL NE FAUT PAS CONTINUER VOTRE PLAQUETTE JUSQU'AU BOUT, ou sinon il faut utiliser des préservatifs ou un autre moyen de contraception. Une contraception reste nécessaire jusqu'aux règles suivantes.

JUSTE UN MOT SUR UNE CONTRACEPTION D'URGENCE MÉCONNUE ET MOINS UTILISÉE : le stérilet. On peut y avoir recours dans les cinq jours qui suivent le rapport sexuel. Et, contrairement aux idées reçues, le stérilet peut tout à fait être posé chez une jeune fille ou une femme qui n'a pas encore eu d'enfant.

* 2. LE STÉRILET
(AUSSI APPELÉ DIU, DISPOSITIF INTRA-UTÉRIN)

180 millions de femmes dans le monde portent un stérilet, petit appareil en matière plastique, en forme de T. Il existe plusieurs formes et tailles, c'est votre médecin qui choisira pour vous le plus adapté et qui le posera. Il suffit de **l'introduire dans le col et de bien le placer au fond de l'utérus.** Les fils du DIU dépassent du col pour permettre le contrôle du dispositif. **Il est posé pour 3 à 5 ans**, selon les modèles, et nécessite une surveillance médicale régulière (1 à 2 fois par an). Le **retrait est simple et indolore.**

Vous aurez le choix entre deux options **(remboursées à 65 % par la Sécurité sociale) :**

⋯⫸ Soit un stérilet au cuivre (comptez environ 27 euros),
qui agit en bloquant la nidation de l'œuf dans l'utérus.

⋯⫸ Soit un stérilet à la progestérone (125 euros environ),
qui contient un réservoir de progestérone chargée de diminuer la probabilité de fécondation en agissant sur la glaire cervicale (taux d'échec de 0,1 %).

Les +
* méthode non contraignante ;
* très efficace (le taux d'échec varie tout de même entre 0,1 et 3,1 %) ;
* globalement bien toléré (un stérilet doit se faire oublier ; si vous ressentez la moindre douleur ou gêne, foncez chez votre médecin).

Les -
* les règles peuvent être abondantes et longues ;
* possibilité de douleurs et saignements en dehors des règles.

✳ 3. LE PRÉSERVATIF FÉMININ

Pour en savoir plus sur la version masculine, foncez page 114. Ici, il est bien question de la version féminine, encore peu répandue. Pour faire simple, il s'agit d'un **préservatif prélubrifié avec deux anneaux :**

⋯⟩ un **anneau interne** qu'on doit introduire au fond du vagin avec les doigts,

⋯⟩ un **anneau externe** qui, lui, reste à l'extérieur sur la vulve.

Comme le préservatif masculin, il est à **usage unique** et son efficacité est comparable. Il est en vente libre en pharmacie et **coûte environ 2 euros.**
On se rassure : s'il est bien installé, on ne sent pas l'anneau interne et aucune chance qu'il se fasse la malle pendant le rapport.

Les +
* peut être mis à n'importe quel moment avant le rapport sexuel. On évite donc le côté non spontané du préservatif masculin ;
* excellente protection contre les IST (infections sexuellement transmissibles) et le sida ;

* une bonne alternative à son camarade masculin, notamment en cas d'impossibilité d'utilisation du préservatif masculin.

Les -
* son aspect peut en décourager certains ;
* pas encore entré dans les habitudes ;
* il faut prendre le coup de main.

* 4. LES SPERMICIDES

Sous forme d'ovule, de crème ou encore d'éponge, les spermicides sont **introduits au fond du vagin avant un rapport sexuel** ; le spermicide se dissout à l'intérieur du vagin et fige ainsi les spermatozoïdes.

···⟩ **Les ovules :** une fois qu'un ovule est glissé au fond du vagin, il faut patienter 5 minutes jusqu'à sa dissolution complète. On en utilise un avant chaque rapport et son efficacité dure 4 heures environ.

···⟩ **Les crèmes :** il faut appliquer la crème unidose au fond du vagin (c'est plus facile quand on est allongée). On est aussitôt protégée et ça dure pendant 10 heures. Il faut utiliser une unidose avant chaque rapport.

···⟩ **Les éponges (ou tampons) :** il faut mettre un tampon au fond du vagin, la protection est alors immédiate et dure 24 heures. Il peut être retiré dans les deux heures suivant le dernier rapport et au plus tard dans les 24 heures.

Les +

* simples à utiliser ; sans prescription médicale ;
* pas de risque pour la santé ;
* ils peuvent jouer le rôle de lubrifiant.

Les -

* il faut vraiment apprendre à bien les utiliser (il faut respecter les temps d'attente et de durée de protection) ;
* dans les deux heures suivant le rapport, il ne faut pas se laver avec du savon (éventuellement une petite toilette externe à l'eau pure, sans savon) ;
* il faut être organisée.

✳ 5. L'ANNEAU CONTRACEPTIF

On utilise **un anneau par cycle**, divisé ainsi : **3 semaines avec anneau et 1 semaine sans anneau** (ce qui provoque l'arrivée des règles). On le place soi-même au fond du vagin et il **joue le même rôle qu'une pilule** (mais sans cachet à avaler) en stoppant l'ovulation et en modifiant la glaire cervicale.

Les +

* mise en place et retrait faciles ;
* très bien toléré ;
* moins de risques d'oubli par rapport à la pilule ;
* comme la pilule œstro-progestative, cette méthode est quasiment efficace à 100 % (dès que l'anneau est bien utilisé et sans oubli).

Les -
* risque de nausées, de prise de poids ou encore de tensions dans les seins ;
* non remboursé par la Sécurité sociale (15 euros environ par cycle de 28 jours).

* 6. L'IMPLANT

Il s'agit d'un **petit bâton de 4 cm de long** dont le diamètre est comparable à celui d'une allumette. Le médecin **l'implante sous la peau**, au niveau de l'avant-bras. **Sa pose dure 1 min 30**, se passe sous anesthésie locale et doit être **renouvelée tous les trois ans** (comptez 125 euros environ, dont 65 % sont remboursés par la Sécurité sociale). Il délivre non-stop une petite dose d'un progestatif de synthèse.

Les +
* on est peinarde pendant un long moment ;
* son efficacité est de 100 % pendant trois ans ;
* bien toléré ;
* pas de risque d'oubli.

Les -
* on a une petite cicatrice de 2 mm ;
* selon les femmes, il peut y avoir des saignements en dehors des règles, ou une absence totale de menstruations, ou encore des saignements prolongés dans 15 % des cas (ce qui peut être un motif de retrait).

✳ ET LES AUTRES...

Évidemment, il reste **les méthodes dites « naturelles »**. Mais on vous les recommande peu vu leur manque de fiabilité ! En plus, elles ne sont pas ce qu'il y a de mieux pour l'épanouissement sexuel !

···❯ **Le retrait ou coït interrompu**, qui consiste à interrompre le rapport sexuel juste avant l'éjaculation.

Le hic ? Si le retrait a lieu trop tard, il y a un risque de grossesse, c'est mathématique. En plus, même avant l'éjaculation, il y a un risque puisqu'un peu de liquide contenant des spermatozoïdes peut s'écouler du pénis.

···❯ **L'abstinence périodique**, qui consiste à zapper les rapports sexuels pendant la phase fertile du cycle. Mauvaise idée car on a beau par d'habiles calculs prévoir cette phase, elle n'est pas forcément là où on l'attend : en effet, tout rapport sexuel présente un risque de grossesse quel que soit le jour du cycle.

Ce qu'on en pense...

Alors que nos grands-mères n'avaient pas le choix et devaient en passer par là, aujourd'hui, nous avons accès à des méthodes fiables, ce serait quand même dommage de s'en priver et de se retrouver avec une grossesse non désirée.

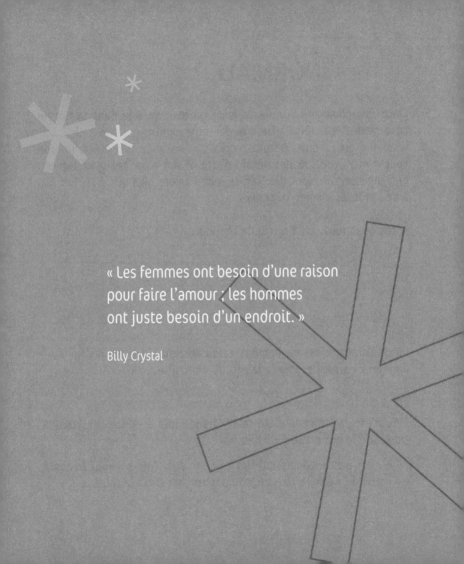

« Les femmes ont besoin d'une raison
pour faire l'amour ; les hommes
ont juste besoin d'un endroit. »

Billy Crystal

SUIS-JE **NORMALE ?**

C'est une question qui nous taraude toutes : **suis-je dans la norme côté sexe ?** Au même titre que des interrogations universelles, telles que « est-ce que j'embrasse bien ? », « est-ce que je suis un bon coup ? »... On a souvent besoin d'être rassurée par des statistiques : ouf, les Français n'ont pas l'air de faire l'amour plus que moi. Ouf, j'ai à peu près les mêmes fantasmes qu'eux.

À ces questions, on a envie de répondre :

> ✳ Peu importe les normes, l'important c'est
> d'être sexuellement bien à deux, quels que
> soient la fréquence, la durée du rapport,
> ou encore le nombre de positions utilisées...

Ce qu'il faut, c'est de l'amour et du frisson. Car ce sont les deux meilleures armes contre la lassitude et l'usure.

Voilà ce qu'on en pense...

* Ce n'est pas le couple qui teste chaque jour une nouvelle acrobatie sexuelle qui est le plus heureux.

* Ce n'est pas le couple qui fait l'amour deux fois par jour (d'abord, est-ce vrai ?) qui va réussir à ne pas tomber dans la routine.

* Ce n'est pas le couple qui a une attirance sexuelle dès le premier regard qui a le plus de chances de durer.

* Ce n'est pas le couple qui a une paire de menottes en fourrure dans le tiroir de la table de nuit qui « s'éclate » le plus au lit.

⋯⟶ Ce qu'il faut

* **c'est arrêter de regarder dans le lit du voisin** (pour voir s'il fait mieux, moins bien ou plus...) ;

* **c'est juger avec objectivité la sexualité de son couple** (pour pouvoir agir en cas de ralentissement du désir ; car le sexe, c'est comme une voiture, il faut remettre de l'essence pour que ça redémarre...) ;

* **c'est ne jamais s'endormir sur ses lauriers** (pour être épanoui sexuellement, il faut être acteur de son bonheur sous la couette...) ;

* **c'est ne jamais remettre la faute sur l'autre** (quand la libido du couple va mal, on y est tous les deux pour quelque chose... et ne perdez pas de temps à chercher le plus coupable des deux, A-GI-SSEZ ! Et pour savoir comment raviver la flamme du désir, foncez page 190).

✳ BILAN

Il n'y a pas de caresse miracle qui nous envoie au nirvana à tous les coups. Si ça existait, on aurait toutes le mode d'emploi pour prendre notre pied systématiquement.

Sauf qu'il y a une foule de facteurs qui entrent en compte : la période de notre cycle, le sentiment d'avoir grossi ou pas, l'humeur et le stress de la semaine, l'impression d'avoir trop mangé, le téléphone qui sonne ou encore des sous-vêtements qu'on n'aime pas et qui ne nous donnent aucune envie d'être effeuillée...

— Il faut tenir compte de ces facteurs et accepter qu'il y ait des câlins plus ou moins excitants que d'autres.

« Mon plus grand malheur fut
toujours de ne pouvoir résister
aux caresses. »

Jean-Jacques Rousseau, *Les Confessions*

MINI QUIZ VOTRE SEXUALITÉ VOUS COMBLE-T-ELLE ?

Parmi les affirmations suivantes, cochez toutes celles avec lesquelles vous êtes d'accord.

☐ 1. Si ça ne tenait qu'à vous, vous feriez plus l'amour.

☐ 2. Si ça ne tenait qu'à lui, vous feriez plus l'amour.

☐ 3. Vous aimeriez bien tenter de nouveaux trucs, mais vous n'osez pas le lui dire.

☐ 4. Si vous deviez noter votre vie sexuelle, vous lui mettriez 5/10 max.

☐ 5. Vous trouvez facilement une raison pour remettre un câlin au lendemain.

☐ 6. Vous vous dites : je patiente jusqu'aux vacances pour retrouver du panache sexuel.

☐ 7. Globalement, vous pensez que votre sexualité était mieux avant.

☐ 8. **Vous faites l'amour plus pour votre homme que pour votre plaisir.**

☐ 9. **Vous aimeriez avoir plus de préliminaires.**

☐ 10. **Vous restez souvent sur votre faim après une partie de sexe.**

LES VŒUX SONT FAITS...

Comptabilisez le nombre d'affirmations avec lesquelles vous êtes d'accord. Pour info, plus votre score est faible, plus vous êtes comblée.

Entre 0 et 3 affirmations
Vous êtes épanouie sous la couette

Sexuellement, on peut dire que tout va bien pour vous. Vos parties de jambes en l'air vous conviennent vraiment. Votre seul leitmotiv ? Faites en sorte que ça dure comme ça et soyez à l'écoute de vos envies et de celles de votre partenaire.

⋯⟩ Et pour continuer à épicer vos ébats, foncez page 190.

Entre 4 et 7 affirmations
Vous êtes mi-figue, mi-raisin sous la couette

Dans votre vie sexuelle, il y a des pour et des contre. Et c'est normal. Maintenant, reste à savoir s'il y a plus de pour que de contre et comment pallier vos manques. Ce serait dommage d'en rester là car vous avez déjà de belles cartes sensuelles en main. À vous de donner le coup de pouce qui va vous rendre 100 % happy au lit.

⋯⟩ Et pour découvrir comment être bien dans ses baskets côté sexe, foncez page 10.

Plus de 8 affirmations
Vous êtes en quête d'autres choses sous la couette
Votre sexualité connaît une baisse de régime. Il faut avant tout savoir si c'est temporaire (auquel cas, il est temps de rebooster tout ça) ou si ça s'inscrit dans la durée (auquel cas, larguez-le... non, on plaisante ! Posez-vous plutôt les bonnes questions quant à votre couple).

Voilà une petite sonnette d'alarme à prendre en considération si vous ne voulez pas sombrer dans une sexualité à l'électrocardiogramme plat. Tout le monde peut redonner du pep's à sa vie nocturne. Avoir conscience des lacunes, c'est déjà avoir fait une bonne partie du chemin. Alors, on arrête la politique de l'autruche et on agit...

···⟫ Et pour savoir comment aborder ces délicates questions avec votre partenaire, foncez page 228.

LES CHIFFRES QU'ON AIME LIRE...
MAIS QUI NE DOIVENT
PAS TROP NOUS INFLUENCER !

Voici quelques chiffres qui révèlent les dessous chic et choc de la sexualité des Français.

> ✳ Si on n'entre pas dans les fourchettes
> de ces stat', on ne renie pas sa vie sexuelle
> pour autant.

Parce que c'est souvent ceux qui en parlent le plus qui en font le moins.

* **Le premier rapport sexuel a lieu à 17,2 ans en moyenne.** Dans le monde, les plus précoces sont les Islandais (15,6 ans) et les moins pressés, les Indiens (19,8 ans).

* **Les Français déclarent en moyenne 8,1 partenaires** (14,5 pour les Turcs, 13,3 pour les Australiens et 3 pour les Indiens. Décidément, ces Indiens...).

* Les filles ont un premier rapport avec **un garçon ayant en moyenne trois ans de plus qu'elles.**

Leçon n°1 : la béééête.

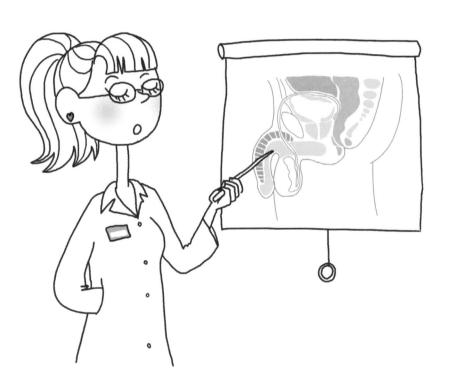

* À partir du début de la pénétration, **le rapport dure généralement entre 2 et 5 minutes** et peut aller jusqu'à 10 minutes.

* **Les Français font l'amour 8,7 fois par mois.** Un chiffre exactement similaire à celui de leurs parents, il y a quarante ans.

* Les **hommes** déclarent avoir eu **11,6 partenaires** (un chiffre sta-
ble depuis trois décennies). Quant aux **femmes**, ce chiffre était de
4,4 en 2006 (contre 1,8 en 1970).

* **7 % des hommes et 1 % des femmes** ont déjà fait **l'amour à
plusieurs.** Comme quoi, ce sont toujours les mêmes femmes qui
font l'amour à plusieurs.

* **20 % des hommes et 6 % des femmes ont déjà eu plusieurs
partenaires pendant la même période.**

* **65 % des Français disent faire l'amour au moins une fois par
semaine.** Parmi eux, 21 % le font une seule fois, 38 % le font deux
à trois fois et 6 % tous les jours.

* Avec un palmarès de **120 rapports annuels**, les Français se
situent en 6e position mondiale. Les plus motivés sont les Grecs
(138 rapports), là où les moins actifs sont les Japonais (45).

···⟩ On n'oublie pas que **tous ces résultats qu'on adore décrypter et comparer à notre propre vie sont à prendre avec des pincettes.** On n'est pas dans le lit des Français pour savoir ce qu'il s'y passe réellement. Donc, là-dedans, il y a tous les crâneurs qui ont fait gonfler les chiffres et les petits malins qui ont répondu à côté, parce que l'enquêtrice avait de jolies jambes...

Sources : *Enquête sur la sexualité en France*, Nathalie Bajos et Michel Bozon, La Découverte, *Francoscopie 2007*, Enquête Durex Global Sex Survey.

Comme nous avons pioché ces chiffres dans plusieurs sources, il arrive que certains résultats ne soient pas tout à fait sur la même longueur d'onde ; cela s'explique tout simplement par des différences : l'année où l'enquête a été réalisée et la cible interrogée.

POURQUOI LE SEXE
EST-IL BON POUR LA SANTÉ ?

* VOICI 11 RAISONS SUPPLÉMENTAIRES DE FAIRE L'AMOUR COMME DES BÊTES...

On est allées piocher ici et là des études qui montrent par a + b que le sexe, c'est bon pour ce qu'on a...

Alors, évidemment, il faut prendre du recul, l'acte sexuel ne remplacera jamais une bonne hygiène de vie avec cinq fruits et légumes par jour, pas de cigarettes, deux heures de sport par semaine. Mais on ne sait jamais, on n'a rien à perdre à faire l'amour plus que de raison. Avec un préservatif évidemment !

* 1. LE SEXE, ÇA AUGMENTE L'ESPÉRANCE DE VIE

D'après une étude très sérieuse menée par le Dr David Weeks (à Édimbourg, en Écosse), il suffirait de **faire l'amour trois fois par semaine pour booster son espérance de vie de dix ans.** Et quand on sait que l'étude a porté sur 3 500 personnes âgées de 18 à 102 ans, on se dit qu'on a envie d'y croire...

✳ 2. LE SEXE, ÇA PRÉVIENT L'APPARITION DE PROBLÈMES CARDIAQUES

En 1997, une étude anglaise a prouvé que les hommes qui avaient des relations sexuelles régulières (au moins deux par semaine) avaient un taux de mortalité deux fois moins élevé que ceux qui faisaient l'amour moins d'une fois par mois.

Ce qui nous paraît totalement logique puisque **toute activité sportive régulière est bonne pour le cœur...** Eh oui, pour faire simple, quand on fait du sport, on a une bonne circulation et notre cœur devient aussi musclé que celui de l'Incroyable Hulk.

✳ 3. LE SEXE, ÇA AIDE À BIEN DORMIR

Après avoir fait crac-boum-hue, on dort sur ses deux oreilles car **l'orgasme libère des substances nichées dans le cerveau** qui nous aident à nous détendre et à tomber dans les bras de Morphée.

✳ 4. LE SEXE, ÇA REND LE VAGIN ÉPANOUI

Si, si, l'acte sexuel, c'est aussi **bon pour les muqueuses du vagin.** Grâce au sperme qui a un effet bénéfique, le vagin est bien lubrifié et retrouve une élasticité de compèt'.

✳ 5. LE SEXE, ÇA FAIT MAIGRIR

Le sport de chambre, c'est vraiment un **exercice physique qui lutte contre l'accumulation graisseuse**. C'est quand même plus sympa que de pédaler sur un vélo d'appartement !

✳ 6. LE SEXE, ÇA REND PLUS INTELLIGENT

Quand on fait l'amour régulièrement, **on secrète en masse cortisol et adrénaline, deux boosters de la matière grise**. C'est à partir de ce constat que le chercheur Werner Habermehl de l'Institut de recherche médicale de Hambourg a pu affirmer qu'une partie de jambes en l'air rendrait plus futé.

✳ 7. LE SEXE, ÇA REND HEUREUX

Enquête exclusive étonnante : d'après un article du *New Scientist*, « **les femmes qui sont exposées directement au sperme de leur partenaire sont plus heureuses que les autres** ». C'est la conclusion surprenante d'une étude américaine qui a porté sur presque 300 femmes. Celles-ci ont été soumises à un questionnaire précis sur leur humeur et leurs habitudes, notamment lors des rapports sexuels.

Or, il est apparu que **celles qui n'utilisaient jamais de préservatif étaient plus heureuses que celles qui en utilisaient parfois, elles-mêmes plus joyeuses que celles qui en mettaient toujours**. De plus, les scientifiques ont constaté que plus les rapports sexuels étaient espacés, plus les femmes n'utilisant pas de préservatif étaient déprimées, alors que la fréquence n'avait aucune influence sur l'humeur de celles qui en utilisent. Les femmes qui n'employaient jamais de préservatif étaient même moins sujettes à la dépression, voire aux tendances suicidaires.

Pour les auteurs de cette étude, **cet effet serait directement lié aux hormones contenues dans le liquide séminal** (testostérone, œstrogènes, prolactine, LH, FSH...). Celles-ci passeraient *via* les parois du vagin dans le sang des partenaires et auraient ainsi une influence directe sur leur humeur. Les chercheurs souhaitent maintenant évaluer cet effet lors de rapports anaux ou oraux.

Mais attention, ce n'est pas une raison pour vous passer de préservatif ! Au contraire : si vous vous retrouvez avec une grossesse non désirée ou contractez une MST, cela n'a aucune chance de vous mettre en joie.

✳ 8. LE SEXE, ÇA GUÉRIT LES MAUX DE TÊTE

La quête de l'orgasme dans un couple vaut vraiment le coup car, au moment de ce bonheur suprême, **le cerveau libère tout un tas d'endorphines (proches de la morphine naturelle) qui ont un effet de détente immédiat.** Grâce à une étude réalisée par la Rutgers University du New Jersey, les chercheurs ont estimé que **l'effet d'un orgasme est comparable à celui de deux aspirines.**

Attention, avec cette révélation, toutes celles qui se plaignent d'avoir la migraine avant de passer à la casserole doivent se raviser en trouvant une nouvelle excuse !

✳ 9. LE SEXE, ÇA PROTÈGE CONTRE LE CANCER DU SEIN

Plus on stimulerait un téton, moins l'heureuse élue courrait de risques côté cancer du sein. C'est la conclusion d'une étude menée par un chercheur australien. Ainsi, **de longs préliminaires concentrés sur la poitrine entraîneraient la production de l'ocytocine, une hormone qui lutterait contre l'apparition d'un cancer du sein.**

✳ 10. LE SEXE, ÇA CALME LE STRESS

D'après une étude publiée par le *British Medical Journal,* **les gens ayant une vie sexuelle épanouie sont moins sujets au stress, ainsi qu'à l'hypertension, aux maladies cardio-vasculaires et au diabète.**

✳ 11. L'AMOUR, ÇA NOUS DOPE

L'acte sexuel n'est pas seul bénéfique pour la santé... **Rien que le fait d'être amoureux apporte des sensations d'euphorie et de joie de vivre.** Cela a été prouvé scientifiquement grâce à une étude réalisée par Helen Fisher en 1996.

Le principe est simple : elle a passé au crible le cerveau de sept hommes et dix femmes se disant fous amoureux. Elle leur a montré une série de photos de personnes lambda parmi lesquelles se trouvaient aussi les visages de l'être aimé. **À chaque fois qu'un des « cobayes » tombait sur une photo de sa moitié, la zone** concernée dans son cerveau correspondait à celle qui est stimulée habituellement lors de la consommation de drogues euphorisantes comme les amphétamines et la cocaïne.

Des études plus récentes sont allées dans le même sens en montrant que **le cerveau des amoureux et celui des drogués présentaient des similitudes : ils libèrent en effet de la dopamine en rafale, à l'origine des sensations de bonheur intense et d'apaisement.**

Le saviez-vous ? **Parfois, faire l'amour, c'est périlleux.**
Attention toutefois aux risques d'épectase (qui désigne le fait de passer l'arme à gauche en plein câlin... quelle mort fabuleuse, on vous l'accorde, mais c'est là où l'on comprend qu'il faut se ménager en couple, passé un certain âge !). Et ce n'est pas le président Félix Faure qui aurait pu dire le contraire puisqu'il a été retrouvé mort en 1899 à l'Élysée, dans les bras de sa maîtresse.

Sources : www.e-sante.fr, article de *L'Express* paru en août 2004 « Pourquoi l'amour est bon pour la santé ? », www.doctissimo.fr, article paru dans le *New Scientist* en juin 2002.

TEST CONNAISSEZ-VOUS BIEN VOTRE HOMME ?

Ici, on vous propose un quiz en deux parties pour tester vos connaissances sur les dessous de la sexualité masculine, et sur votre homme en particulier. À vous de voir si vous êtes meilleure en théorie ou en pratique. Ou si vous maîtrisez parfaitement les deux. Auquel cas, on vous dit d'avance BRAVO !

Iʳᵉ PARTIE : CONNAISSEZ-VOUS BIEN VOTRE HOMME EN THÉORIE ?

Armez-vous d'un stylo et répondez du tac au tac aux questions suivantes :

1. **Quelle est la taille moyenne d'un pénis en érection ?**
   a. 12 cm
   b. 14 cm
   c. 16 cm

2. **Quelle est la taille moyenne d'un pénis au repos ?**
   a. 6 cm
   b. 7 cm
   c. 8 cm

3. **Quelle quantité de sperme est libérée au moment de l'éjaculation ?**
   a. Entre 2 et 5 ml
   b. Entre 8 et 10 ml
   c. Entre 13 et 15 ml

4. **Combien y a-t-il de spermatozoïdes environ, par millilitre de sperme ?**
   a. 200 000
   b. 2 millions
   c. 20 millions

5. **D'où vient le mot « couille » ?**
   a. Des *collos*, un mot espagnol qui désigne les testicules d'un taureau
   b. De *coleus*, un mot latin qui désigne un sac en cuir
   c. De « couilleux », un mot qui désigne un homme bien membré en patois gascon

6. **Quel est le pourcentage d'hommes à avoir été confrontés à des problèmes d'érection ?**
   a. 18 %
   b. 33 %
   c. 42 %

7. **Quel est le pourcentage d'hommes à avoir fait l'amour avec une personne dont ils n'étaient pas amoureux ?**
    a. 24 %
    b. 36 %
    c. 58 %

8. **Quelle est la profession féminine qui excite le plus les hommes ?**
    a. Infirmière
    b. Masseuse
    c. Hôtesse de l'air

9. **Quel est le pourcentage d'hommes ayant testé la sodomie au moins une fois dans leur vie ?**
    a. 25 %
    b. 30 %
    c. 35 %

LES VŒUX SONT FAITS...

Question 1
⋯⟶ Réponse b : 14 cm.

Question 2
⋯⟶ Réponse c : 8 cm.

Question 3
⋯⟶ Réponse a : entre 2 et 5 ml.

Question 4
⋯⟶ Réponse c : oui, oui, c'est bien 20 millions...

Question 5
⋯⟶ Réponse b : coleus.

Question 6
⋯⟶ Réponse c : 42 % (dont 54 % en Ile-de-France, contre 35 % dans le Sud de la France... Dommage pour nous, on habite à Paris !).

Question 7
⋯⟶ Réponse a : 24 % (contre 18 % des femmes).

Question 8

⋯⟩ **Réponse a :** infirmière pour 31 % d'entre eux (28 % pour les masseuses et 19 % pour les hôtesses de l'air).

Question 9

⋯⟩ **Réponse b :** 30 % (contre 24 % des femmes ; en revanche, seuls 3 % des hommes et des femmes disent la pratiquer souvent).

Source : *Francoscopie 2007*, www.e-sante.fr, *La Sexualité mode d'emploi*, First, *Le Petit Larousse de la sexualité*.

Entre 0 et 3 bonnes réponses

⋯⟩ **L'homme reste encore un loup pour vous...**

La machinerie masculine vous échappe encore. Soit parce que vous êtes vraiment une quiche en sexualité masculine, soit parce que vous pensez que c'est ceux qui en parlent le plus qui en font le moins. Donc, **pour vous, pas besoin de connaître les statistiques sur le bout des doigts pour être une bête de sexe**. La bonne nouvelle ? C'est que vous n'aurez pas acheté ce livre pour rien. C'est qui qui va pouvoir crâner dans les dîners en demandant à la cantonade : « Combien y a-t-il de spermatozoïdes dans chaque millilitre de sperme ? »

Entre 4 et 6 bonnes réponses

⋯⟩ **Vous avez apprivoisé le loup...**

Franchement, c'est un bon score. Vous maîtrisez vraiment bien la technique. On espère que la pratique est à la hauteur ! Vous êtes très lucide sur les hommes et leur anatomie.

Ne la ramenez pas trop. **Allez plutôt vous frotter aux questions plus perso** (avec la deuxième partie « en pratique ») pour savoir si vous connaissez votre homme à fond...

Plus de 7 bonnes réponses
···⟩ Le loup est devenu un agneau de lait pour vous...
Alors, là, chapeau bas. Vous venez de décrocher la **mention très bien à votre diplôme théorique sur la sexualité masculine**. Soit vous êtes étudiante en médecine, soit vous êtes un rat de bibliothèque, soit enfin votre pratique est sans commune mesure.

On espère pour vous que vous allez autant cartonner pour le deuxième volet !

IIᵉ PARTIE : CONNAISSEZ-VOUS BIEN VOTRE HOMME EN PRATIQUE ?

1. À quel âge a-t-il connu le grand frisson sous la couette pour la première fois ? ....

2. Quel est le prénom de sa première amoureuse ? ....

3. Comment le surnomme sa mère ? ....

4. Combien de voitures a-t-il eues dans sa vie (sans compter les miniatures) ? ....

5. Combien de sucres dans son café ? ....

6. Jusqu'à quel âge a-t-il cru au Père Noël ? ....

7. Quelle est sa pointure ? ....

8. Et son tour de col ? ....

9. A-t-il déjà fait l'amour dans un ascenseur ? ....

10. Combien a-t-il eu en philo au bac ? ....

11. Son premier geste après l'amour ? ....

12. Quel métier voulait-il faire quand il était petit ?

13. À quel âge a-t-il passé son permis de conduire ?

14. Quel est son plus grand fantasme ?

15. Ce qu'il préfère chez vous ?

16. Quel est son salaire ?

17. A-t-il porté un appareil dentaire ?

18. Quelle est sa zone la plus érogène ?

19. Son équipe de foot préférée ?

20. Préfère-t-il vous en dessous ou vous au-dessus ?

LES VŒUX SONT FAITS...

Comptabilisez le nombre de bonnes réponses obtenues (idéalement, faites valider tout ça par l'intéressé... car on vous voit venir en prenant vos réponses hésitantes pour la vérité).

Moins de 5 bonnes réponses
Peut vraiment mieux faire

Est-ce que vous vous parlez dans votre couple ? Parce que se raconter ses souvenirs, ses envies et son passé amoureux, ça fait partie d'une vie à deux épanouie.

En même temps, vous avez peut-être une mémoire de poisson et vous connaissiez toutes les autres réponses à ce type de questions, sauf celles-ci. Cela dit, **ne vous formalisez pas sur votre score**, car si vous venez de vous rencontrer, c'est assez normal de ne pas tout connaître sur l'autre.

Entre 6 et 10 bonnes réponses
Un bon potentiel

Pas mal... **Vous connaissez bien votre homme mais il reste des choses à découvrir.** Vous avez beaucoup de conversations en perspective. C'est tellement bon de refaire le monde à deux !

Cela dit, **boostez un peu votre curiosité**. Il n'en sera que plus flatté, les hommes aiment qu'on s'intéresse à eux.

Entre 11 et 15 bonnes réponses
Mention bien

Entre vous et lui, ça mousse un max. **Vous connaissez la plupart de ses petits secrets.** Reste à savoir s'il connaît les vôtres. Vous êtes un couple sans tabou qui aime se raconter et se dévoiler sans complexe.

Et si vous lui soumettiez ce test pour voir s'il est aussi fort que vous ?

Plus de 16 bonnes réponses
Félicitations du jury

Alors là, chapeau ! Cet homme ne peut rien vous cacher... **Vous le connaissez sur le bout de vos doigts.** Et en plus de bien le connaître, vous avez une mémoire de dinosaure...

Il suffit qu'il vous dise une seule fois un petit truc perso et hop, c'est gravé à tout jamais dans votre cerveau. Attention, apprenez à rester un brin discrète sur vos talents : **les hommes adorent garder une petite part de mystère**.

Non non NON !
Je ne vais pas me raser les jambes pour notre 1er RDV !
Ce sera ma ceinture de chasteté.

PREMIÈRE PARTIE
DE SEXE
AVEC UN HOMME...

« Les premières étreintes sont toujours un peu
ratées. On se jette l'un sur l'autre, à l'aveuglette ;
poussé par trop de hâte, on ne prend pas le temps
de faire connaissance avec une peau, une odeur,
un sexe étrangers. »

Françoise Giroud, *Mon très cher amour*

MODE D'EMPLOI
DE LA PREMIÈRE PARTIE DE SEXE

Vous sentez qu'il y a du sexe dans l'air entre vous... Le premier baiser a eu lieu, donc l'étape d'après, c'est le « passage à la casserole ». Manifestement, vous en avez envie, lui aussi. Comment faire pour que ça émulsionne entre vous ?

✳ LES 7 CLÉS POUR RÉUSSIR UN PREMIER « WAOUHHH » AU LIT

✳ 1. NE PAS SE METTRE LA PRESSION

Vous n'êtes pas en train de passer le bac, il n'y a pas d'épreuve éliminatoire. Rassurons-nous, ce n'est pas parce que c'est (un peu) raté la première fois qu'on va se quitter. Et puis, si votre histoire doit durer, vous aurez des mois et des mois pour vous accorder sous la couette.

✳ 2. SE RAPPELER QUE LA PREMIÈRE FOIS, CE N'EST JAMAIS PARFAIT

Normal, puisqu'on ne se connaît pas encore bien, on ne maîtrise pas les zones érogènes de son partenaire (qui lui-même ignore les nôtres)...

On est un peu gauches parce qu'on est dans le flou artistique : c'est le principe d'une première, on ne sait pas comment l'autre va se comporter dans un lit, ce qu'il attend, ce qu'il pense, comment ça va se passer (rapide, lent, brutal, sensuel...).

3. NE PAS COMPARER AVEC SES EX

Même si c'est très, très tentant, on vous l'accorde, et qu'on a toutes tendance à le faire un peu, **on vous déconseille de tomber dans la comparaison**. Chaque homme est différent, donc chacun d'entre eux a un lot de trucs sexuels vraiment trop cool et un lot un peu moins rutilant.

Donc on se sort de la tête « mais il n'aurait pas un tout petit sexe ? », « il est quand même super poilu... », « il est beaucoup moins fort en caresses que mon ex », « il tape pile à côté pour le cunnilingus »...

4. ÊTRE À L'ÉCOUTE DES RÉACTIONS DE SON PARTENAIRE

Il réagit, gémit quand vous le mordillez à tel endroit ? Continuez. Et en cas d'absence de réaction, allez tâtonner un peu plus à gauche, plus à droite, caressez d'autres parties du corps pour tenter de dénicher ses « nids à frissons ».

5. USER ET ABUSER DES PRÉLIMINAIRES

C'est l'antichambre de l'acte sexuel, c'est ce qui fait monter le désir et provoque la meilleure des lubrifications.

6. RESTER LÉGÈRE

Il faut toujours garder une touche d'humour en cas de « drame » : la table de nuit s'effondre à cause d'un coup de coude maladroit, riez-en. Vous vous prenez un coup de tête malencontreux lors d'un changement de position, riez-en...

7. ÊTRE INTRANSIGEANTE LÀ-DESSUS : AVEC PRÉSERVATIF, OU C'EST NIET !

Et pour tout savoir sur ce chapeau en latex, foncez page 114 (le sketch du préservatif).

QUEL EST LE BON MOMENT
POUR COUCHER ?

✳ IL FAUT QUE ÇA ARRIVE
NI TROP TÔT NI TROP TARD...

Sachant que **certaines études ont montré que les hommes pensent plusieurs fois par jour au sexe**, ce qui crée parfois un décalage entre les hommes qui en ont envie dès qu'ils nous voient et les femmes qui ont besoin d'un temps d'adaptation et de découverte pour s'imaginer en plein coït.

Du coup :
····⟫ Évitez de coucher le premier soir...
Quel est l'intérêt de succomber tout de suite à la tentation ? En plus, l'homme n'aura pas forcément une image positive de vous. Ça paraît bête, mais c'est toujours mieux d'attendre deux ou trois rendez-vous (sauf si c'est juste le coup d'un soir, auquel cas vous n'avez pas le choix : il faut coucher le premier soir... puisque demain, vous n'êtes pas sûre de le revoir ; et qu'un petit coup de temps en temps, ça fait du bien).

Tracey Cox (dans son livre *Sexus Feminitus*, Larousse) va même plus loin : « **Coucher le premier soir, ce n'est pas une erreur mais c'est risqué.** Si vous voulez booster vos chances d'entamer une relation solide qui tiendra la distance, faites le contraire :

essayez de retarder le plus longtemps possible un rapport sexuel complet. Pas pour des raisons morales ("une fille bien ne fait pas ça") ni parce qu'il risque de vous juger (il le fera de toute façon), mais pour entamer la relation dans les meilleures conditions et lui donner le temps de s'installer en termes physiques et affectifs. »

···⊹ Cela dit, évitez de faire la prude, juste par acquit de conscience
Si vous en avez envie, foncez... Les foudres ne vont pas s'acharner sur vous parce que vous êtes tombée dans la gueule du loup (enfin plutôt, la gueule dans le loup...).

···⊹ Ne vous forcez jamais, juste pour faire plaisir à l'autre

☀ CE N'EST PAS EN CÉDANT SEXUELLEMENT QU'ON GARDE UN HOMME !!!!!

Le but ? **Ne pas se laisser embarquer un peu pompette à 3 heures du mat'... s'il y a le moindre risque que vous le regrettiez le lendemain matin.**

Essayez de garder des antennes de lucidité car on sait qu'on peut vite céder à la tentation. Donc vigilance extrême avec ces phrases :

☀ 1. « JE TE RAMÈNE ? »
Ça part d'un bon sentiment, ça montre qu'il est gentleman mais, attention, il risque de s'incruster chez vous avant même que vous ayez trouvé vos clés dans le fond de votre sac.

✳ 2. « TU VEUX MONTER PRENDRE UN DERNIER VERRE ? »

Rares sont ceux qui proposent un dernier verre innocent. Si vous montez, sachez que la probabilité qu'il se passe un truc sexuel entre vous est grande. D'autant plus que, pour un homme, si vous acceptez de monter chez lui, vous êtes déjà à moitié dans son lit... **Près de 70 % d'entre eux comprennent avec cette phrase qu'on est partantes pour une partie de jambes en l'air.**

✳ 3. « J'AI ENVIE DE DORMIR AVEC TOI »

Très romantique, très chou, mais, en traduction masculine, ça donne : « J'ai très envie de te sauter. »

✳ 4. « JE TE PROMETS, IL NE SE PASSERA RIEN »

Méfiance, méfiance... C'est rare qu'il ne se passe rien après une phrase pareille.

> **« Seul le battement à l'unisson du sexe**
> **et du cœur peut créer l'extase. »**
>
> Anaïs Nin, *Vénus Erotica*

FAUT-IL MONTRER TOUT SON SAVOIR-FAIRE
LA PREMIÈRE FOIS ?

✳ A PRIORI NON...

Pas besoin de montrer tout ce qu'on sait faire parce que :

* Ce qui marche sur une personne ne marche pas forcément sur une autre.
* En gardant un peu de mystère et de fantaisie pour la suite, on ne s'essouffle pas dans la durée.
* On tombe un peu dans la démo-produit plus que dans la vérité de l'acte sexuel.
* Ça peut intimider son partenaire... et le rendre tout penaud.

✳ LES RÈGLES D'OR

* Se laisser aller : faire ce qu'on a envie au moment où on en a envie.
* Ne pas calculer l'acte sexuel, mais simplement le vivre.
* Dépasser un peu ses propres limites si l'autre nous y incite ET que ça nous tente.

 Ne pas penser « performances » mais « ressenti »

Je pensais commencer par une petite brouette tonkinoise, enchaîner sur un Grand 8, et terminer en beauté avec un " aigle royal " à l'envers.

Ça te va ?...

Un bon coup, ce n'est pas celui qui nous la fait à la Enrique Iglesias dans ses clips, mais celui avec qui on est en accord. Idem pour vous : pas besoin de faire de l'esbroufe pour taper dans le mille du plaisir.

✳ EN MÊME TEMPS...

Ne vous transformez surtout pas en planche à repasser immobile sous prétexte que c'est la première fois tous les deux !

* N'attendez pas que tout vienne de lui.
* Soyez active : il prend des initiatives, alors pourquoi pas vous ?
* Si vous vous sentez d'attaque, lancez-vous dans une fellation... Y a pas à dire, les hommes en raffolent.
* Lâchez un petit gémissement quand ça vous fait du bien. Ce sera rassurant et encourageant pour lui de savoir que là, c'est trop bon.

TEST QUEL EST VOTRE POURCENTAGE DE COMPATIBILITÉ SEXUELLE ?

Parmi les affirmations suivantes, cochez celles avec lesquelles vous êtes d'accord.

☐ 1. **Vous êtes tous les deux du soir. Ou du matin. Mais en tout cas, vous êtes à l'unisson sur vos pics de désir.**

☐ 2. **Vous le trouvez sexy et attirant dans plus de 80 % du temps.**

☐ 3. **Parmi tous les mecs de votre entourage, le vôtre les supplante haut la main.**

☐ 4. **Vous sentez du désir dans son regard.**

☐ 5. **Vous êtes autant à l'initiative d'un câlin l'un que l'autre.**

☐ 6. **Quand vous vous embrassez, il se passe quelque chose.**

☐ 7. **Vous aimez l'odeur de sa peau.**

☐ 8. **Vous décrochez régulièrement des orgasmes.**

☐ 9. Il vous a déjà dit quelque chose du genre « tu m'excites », « j'ai tellement envie de toi », « je n'ai jamais connu un truc aussi intense ».

☐ 10. Vous avez envie de lui, même au bureau en pleine journée.

☐ 11. Dès qu'il vous provoque sexuellement, vous démarrez au quart de tour.

☐ 12. Vous n'avez (presque) jamais envie de lui dire « non, pas ce soir... ».

☐ 13. Il maîtrise parfaitement l'art des préliminaires.

☐ 14. Vivement les vacances pour profiter encore plus sexuellement l'un de l'autre !

☐ 15. Franchement ? C'est un bon coup.

☐ 16. Vous savez tous les deux qu'il y a encore plein de choses à découvrir sous la couette.

☐ 17. Il suffit d'un regard pour savoir que vous en avez envie au même moment.

☐ 18. Vous pouvez l'affirmer haut et fort : vous êtes satisfaite sexuellement.

☐ 19. Globalement, vous êtes excités par les mêmes choses.

☐ 20. Vous connaissez ses zones érogènes sur le bout des doigts.

LES VŒUX SONT FAITS...

Comptabilisez le nombre d'affirmations avec lesquelles vous êtes d'accord. Chaque affirmation vaut 5 points. Additionnez le tout et reportez-vous aux résultats ci-dessous.

(Par exemple, vous êtes d'accord avec 10 affirmations, soit 10 x 5 = 50 % ⋯⇨ *vous avez obtenu un pourcentage de compatibilité sexuelle de 50 %.)*

Vous avez obtenu moins de 25 %

⋯⇨ Bon, honnêtement, ce n'est pas top... **Ce qu'il faut voir, c'est si votre libido est dans une période de creux pour des raisons x ou y.** Auquel cas, tout peut revenir dans l'ordre en donnant un petit coup d'impulsion : forcez-vous à vous réapprivoiser sous la couette, partez en week-end tous les deux, parlez-en à cœur ouvert si vous le sentez et exprimez-lui votre désir pour relancer le sien...

⋯⇨ **En revanche, si c'est votre mode de fonctionnement sexuel classique, posez-vous les bonnes questions :** est-ce qu'on ne mériterait pas mieux sous la couette ? Est-ce que, dans notre couple, le romantisme et la tendresse prennent le pas sur la sexualité et est-ce que cette situation nous convient ? Qu'est-ce que j'aimerais changer ou faire évoluer ?

⋯⇨ **N'hésitez pas à soumettre ce test à votre partenaire**, ses réponses vous éclaireront sur son ressenti. Et parfois, c'est plus simple de passer par le biais d'un test ludique que d'aborder le sujet en frontal.

Vous avez obtenu entre 30 % et 50 %

...⟩ **Le potentiel est bel et bien là, mais à vous de l'optimiser car ce serait dommage d'en rester là...** Enfin, petite nuance quand même entre celles qui ont obtenu 30 % (à peine un tiers de compatibilité sexuelle) et celles qui sont déjà à la moitié de la coupe du désir.

...⟩ **Le sexe, il n'y a pas à dire, c'est bon pour le couple et le moral.** Donc faites en sorte que cela devienne encore plus fort entre vous.

...⟩ **Essayez de voir quelles sont les pistes d'amélioration possibles :** aimeriez-vous que ce soit plus souvent ? plus longtemps ? différemment ? plus doux ou, au contraire, plus bestial ? Parce que rien n'est jamais figé dans la sexualité. Si on a vraiment la volonté de booster notre case sexuelle, on peut y arriver. En tout cas, réjouissez-vous déjà de ce beau potentiel qui, si vous vous en donnez les moyens, va se décupler à grande vitesse.

Vous avez obtenu entre 55 % et 75 %

...⟩ **Voilà une belle alchimie sexuelle...** Vous avez réussi à cultiver le désir dans votre couple et à faire de la sexualité un des piliers de votre histoire d'amour. Tant mieux, car plus vous aurez de cordes à votre arc, plus votre love story aura de chances de perdurer.

...⟩ **On vous fait confiance pour ne pas vous laisser aller sur le long terme :** suscitez le désir de l'autre dès que l'occasion se présente et ne remettez jamais au lendemain un câlin qui pourrait être fait là, tout de suite, maintenant sur la table basse.

⋯⫽ **Petit bémol là encore pour celles qui ont obtenu 55 % :** il vous reste 45 % à conquérir et vous étiez à deux doigts de la moyenne.

⋯⫽ **Ne vous reposez surtout pas sur vos lauriers :** la sexualité peut rapidement perdre sa cadence si on ne la redynamise pas constamment.

Vous avez obtenu plus de 80 %

⋯⫽ **Si vous n'avez pas triché, on vous tire notre chapeau.** Alors là, franchement, en matière de sexualité, votre couple a tout compris. Même les petits agacements de la vie quotidienne n'ont pas l'air d'altérer votre vie sexuelle. Bravo !

⋯⫽ **Si vous êtes aussi fort en sexualité qu'en complicité et en tendresse, on vous décerne la palme du « couple-osmose ».** Et si vous ne vous êtes pas encore lancés dans une vie à deux concrète, il est temps de prendre les bonnes décisions. À vous de voir selon ce qui vous tente : vivre sous le même toit, faire des bébés, passer devant le maire...

⋯⫽ **Maintenant, il ne vous reste plus qu'un challenge : faire en sorte que toute cette magie sexuelle s'inscrive dans la durée.** Car si vous en êtes à six mois de passion torride, c'est déjà un beau score mais ce sera encore plus révélateur quand vous afficherez la même compatibilité après six ans d'histoire...

LE SKETCH DU PRÉSERVATIF

On est en train de s'embrasser fougueusement (pour un peu, on se prendrait pour Kim Basinger dans *9 semaines et demie*)... et là, on sent que le moment fatidique va tomber : comment amorcer le préservatif ?

La seule chose qui est sûre, c'est qu'on va rester intransigeante sur le sujet : c'est avec préservatif ou il n'y aura pas de câlin.

Là où on peut se faire avoir ? Comme c'est un moment où on est happées par le plaisir, il est bien facile (et tentant...) de ne pas ajouter un bout de latex entre nous. **On a souvent peur de casser la fluidité de l'instant en farfouillant dans sa table de nuit à la recherche dudit objet.** On a l'impression de casser l'ambiance, voire de mettre une barrière entre nous deux.

✳ SAUF QU'IL N'Y A PAS DE DÉBAT À AVOIR

Quand on sait le nombre de cochonneries qu'on peut attraper sans se protéger, on garde la tête froide dans ces moments-là.

> ✳ Car, rappelons-le, le préservatif est
> le seul moyen de se protéger des IST
> (infections sexuellement transmissibles) :
> chlamydia, trichomonase, condylomes
> génitaux et évidemment sida.

En plus, on a de la chance d'avoir des préservatifs nouvelle génération : bien lubrifiés, fins... qui n'ont plus rien à voir avec les modèles « chaussettes en crin ». Et on ne vous parle même pas de l'époque où ils étaient fabriqués en papier de soie ou encore en cuir !

✳ LES BONNES ATTITUDES

* **N'hésitez pas à tester plusieurs marques** pour trouver ceux qui vous conviennent le mieux (et sachez qu'il existe d'autres matières que le latex pour les allergiques !).

* **Choisissez-les lubrifiés.**

* **Attention aux bagues et aux ongles longs** qui peuvent l'endommager.

* **Ayez toujours un préservatif sur vous...** Bêtement, dans l'inconscient collectif, on attend que l'homme fasse le premier pas. Mais à vous aussi d'être responsable : il s'agit autant de votre santé que de la sienne.

* **Optez pour des préservatifs de bonne qualité** (qui portent la mention NF). Ce n'est pas le moment de radiner...

* **Faites-en un accessoire de jeu érotique :** en testant des textures, des couleurs ou des parfums différents...

* Pour éviter tout problème, **il doit être déroulé jusqu'au bout**, sans être trop tendu.

* Stockez-les **à l'abri de la lumière, de la chaleur ou encore de l'humidité,** trois facteurs qui risquent de les endommager. Et vérifiez bien la date de péremption indiquée sur l'emballage.

* Misez sur les **modèles avec réservoir** (dans ce cas, il faut bien pincer le bout du préservatif avec ses doigts pour en chasser l'air). Et s'il n'y a pas de réservoir, laissez 1 à 2 cm en haut afin d'en créer un (avant de le dérouler sur le pénis en érection).

* Et n'oubliez pas : il faut se retirer aussitôt après l'éjaculation en prenant bien soin de serrer la bague contre la base du pénis. Et s'il y a un problème technique (préservatif déchiré...), pensez à la **pilule du lendemain** en demandant l'avis de votre pharmacien ou de votre médecin (cf page 59).

Bonne nouvelle !

Les jeunes ont le réflexe préservatif :
89 % des femmes et 88 % des hommes ont
utilisé un préservatif lors du premier rapport.

Source : *Enquête sur la sexualité en France*, Nathalie Bajos et Michel Bozon, La Découverte.

« En amour, il n'y a que les commencements
qui soient charmants ; c'est pourquoi on
trouve du plaisir à recommencer souvent. »

Charles Joseph de Ligne

Bon bah...
Si ça peut lui
faire plaisir
...

ON DÉNOUE
LES **TABOUS** ...

L'AVIS DE LA PRO, MARIANNE PAUTI
IL A DES PANNES. ET MOI,
JE NE SUIS PAS MÉCANO

De temps en temps, les hommes ont des pannes ; rien de plus normal. Surtout ne paniquez ni l'un ni l'autre, c'est le meilleur moyen pour que cela recommence.

POURQUOI LES HOMMES ONT-ILS DES PANNES ?

* **Parce qu'ils sont émus.** C'est un grand classique lors d'un premier rapport avec une femme à laquelle on tient.
* **Parce qu'ils sont fatigués** et ne trouvent même plus d'énergie vitale pour une érection.
* **Parce qu'ils sont stressés**, anxieux, qu'ils ont des soucis familiaux ou professionnels, des remises en question, la tête ailleurs.
* **Parce qu'ils ont eu une panne la dernière fois** et qu'ils appréhendent que ça recommence. C'est ce que l'on appelle l'angoisse de performance où la peur de l'échec alimente l'échec.
* **Parce qu'ils vieillissent** et que l'érection devient plus fragile.

* **Parce qu'ils prennent un médicament** qui entraîne des troubles de l'érection.
* **Parce qu'ils ont trop bu ou un peu trop fumé** ce soir-là.

Donc les pannes, ça arrive normalement de temps en temps et, si elles restent rares, il n'y a aucune inquiétude à avoir. La prochaine fois, tout se passera mieux. Ça nous arrive aussi sauf que, pour nous, c'est moins flagrant. **Rassurez-vous, une panne n'a généralement rien à voir avec un manque de désir.**

Un conseil ? **N'en faites pas toute une affaire, ne le ou ne vous culpabilisez pas. Prenez cela avec humour.** Tout se passera alors très bien, il ne se sentira pas ébranlé dans sa virilité et ça ne l'empêchera pas d'avoir une belle érection la fois suivante.

Bien sûr, si les pannes ont tendance à se reproduire (un peu) systématiquement, c'est différent. On commence alors à se poser des questions. Ce ne sont plus vraiment des pannes mais cela devient un véritable trouble de l'érection. Il vaut mieux alors ne pas le laisser sous silence, comme si de rien n'était, avant que le trouble ne s'installe trop. Il peut alors être utile de consulter un médecin ou un sexologue, qui pourra faire la part des choses entre un trouble psychologique et un trouble mécanique et proposer à votre homme de l'aider. Sachez que l'on peut le plus souvent y faire quelque chose. En plus, maintenant, il y a le Viagra...

⋯⋗ **En conclusion, les pannes, c'est inévitable, et généralement ça s'arrange tout seul. Si la panne est plus grave, vous n'êtes pas mécano, alors mieux vaut s'adresser à un professionnel.**

LES PANNES, ÇA ARRIVE À TOUT LE MONDE...

* 20 % des hommes se déclarent préoccupés par des problèmes d'érection. (Donc ça veut sûrement dire plus car les mecs ont bien du mal à avouer ce genre de petit problème...).

* 42 % disent avoir connu des pannes dans ce domaine (54 % en Ile-de-France et 35 % dans le Sud de la France).

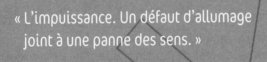

« L'impuissance. Un défaut d'allumage
joint à une panne des sens. »

Guy Brouty, *L'Esprit des mots*

LES QUICKIES,
C'EST QUOI ?

Eh bien, tout simplement, un petit coup vite fait, bien fait. Sans tralala. Pas toujours besoin de faire l'amour façon entrée-plat-dessert avec préliminaires inclus... De temps en temps, un petit câlin « emballé, c'est pesé » peut avoir du bon dans un couple.

✳ POURQUOI JE FERAIS ÇA ? PARCE QUE :

⋯⋗ **On est parfois submergés par le stress et la fatigue dans un couple**
Et qu'on n'a pas toujours le temps de faire l'amour comme au premier jour : on vient de coucher les enfants et le réveil sonne déjà dans 7 heures... Or, un quicky permet de garder un contact charnel dans le couple, sans tomber dans le « no sex ».

⋯⋗ **Ça m'évite de remettre un câlin au lendemain**
On a souvent tendance à attendre les bonnes conditions : pas trop fatiguée, on a du temps devant soi, la lumière est tamisée, je viens de me brosser les dents... Oui, mais le quicky, c'est la porte ouverte à la spontanéité sexuelle. Le seul feu vert nécessaire : être tous les deux sur la même longueur d'onde.

✳ COMMENT FAIRE UN BON PETIT QUICKY ?

Le principe, c'est d'aller vite, pile au moment où on en a envie pour laisser parler ses pulsions « bestiales ». Donc, on garde presque tous ses vêtements, on se colle contre une porte, un mur ou la table de la cuisine.

✳ LE CONSEIL DES BONNES COPINES ?

Prenez-en l'initiative. Les hommes en raffolent... Et troquez vos collants contre des bas. Ça permet de laisser libre accès aux quickies... Ça marche aussi version fellation ou cunnilingus.

✳ LE SEUL BÉMOL ?

Évidemment, ça ne doit surtout pas devenir votre seule façon de faire l'amour... C'est à disséminer entre les vraies parties de jambes en l'air avec préliminaires et tutti quanti.

> « *Les trois étapes :*
> *la bouche, la couche, la douche.* »
>
> Anonyme, *L'Académie de l'humour*

ÇA ME GÊNE.
EST-CE NORMAL ?

Il veut regarder des films porno, il me dit des mots crus pendant l'acte, il donne un surnom à son sexe... Autant de situations qui me hérissent le poil et que je ne sais pas comment gérer.

Tout au long de notre sexualité, on est confrontées à des situations qui nous plaisent plus ou moins. Rassurons-nous, ne sont pas des cas isolés celles qui ont à faire face à des demandes dérangeantes de la part de leur moitié.

> On serait bien tentées de tester ce truc inédit et coquin (une partie de notre cerveau nous pousse à dire oui), mais la raison nous rattrape souvent.

Que ce soient les tabous ou la gêne, on rougit rien qu'en s'imaginant la scène. Et on pense secrètement, quand même, les films porno, c'est crado...

1. IL VEUT REGARDER DES FILMS PORNO AVEC MOI. JE FAIS QUOI ?

✱ AVANT TOUT, JE NE ME BRAQUE PAS, IL N'Y A RIEN DE DRAMATIQUE.

30 % des couples ont regardé des films porno ensemble.

✱ LES HOMMES SONT SOUVENT TRÈS À L'AISE AVEC LES FILMS X

Ados, ils ont tous regardé dans le dos des parents un film porno entre potes. Même dans les films et séries télé, on voit souvent un prépubère se masturber devant un *Playboy* tout racorni... C'est totalement admis.

Pendant ce temps, les filles du même âge parlent prince charmant en dessinant leur future robe de mariée. Alors imaginez le décalage quand une fille à la vanille se retrouve confrontée à un garçon qui veut regarder des films de femmes à poil...

✱ POURQUOI LES HOMMES SONT-ILS SI ACCROS ?

···❖ Parce que l'excitation visuelle est chez eux primordiale pour alimenter leurs fantasmes. C'est pour ça que, souvent, un homme aime regarder sa partenaire pendant l'acte.

···❖ Parce que, dans les films porno, les femmes sont de simples machines à plaisir, totalement dévouées au désir masculin. Le tout face à des surhommes aux membres surpuissants.

⋯⋗ Parce qu'il s'y passe plein de choses qu'ils ne vivent pas forcément dans la vraie vie. C'est le sexe en exagéré ; dans les mensurations, dans le nombre de pénétrations, dans la durée d'un rapport…

✳ RESTE À SAVOIR COMMENT VOUS AVEZ ENVIE DE RÉAGIR FACE À UNE TELLE DEMANDE.

a. Vous vous dites : « Pourquoi pas ? Ça peut être un stimulant sexuel de plus dans mon couple. »

⋯⋗ **Auquel cas, tentez le coup…** C'est vrai que se retrouver face à des images 100 % crues peut en exciter certains. On y découvre de nouvelles pratiques, on y voit des gros plans de sexes masculins et féminins.

Tout ça a un côté très banalisé qui peut permettre de dépasser les barrières. Et quand les deux sont au même diapason, l'expérience vaut le coup.

> « La pornographie, c'est l'érotisme des autres. »
> André Breton

b. Franchement, ça craint… Mais bon, je peux le faire.

⋯⋗ **Allez-y en tâtonnant…** Misez sur des films certes porno, mais plutôt soft, avec un vrai scénario et un vrai dénouement. Et pas seulement un enchaînement d'images toutes plus trash les unes que les autres.

···⟩ **Si, en cours de visionnage, vous avez envie de stopper net, écoutez-vous.** Un couple épanoui sexuellement n'a pas besoin de voir des films porno à deux. C'est typiquement une expérience où il faut que les deux s'y retrouvent.

···⟩ **Vivez tout ça avec légèreté...** Prenez-le comme un jeu amoureux supplémentaire et non comme un défi à relever.

c. **Beurk, beurk, beurk... Je n'en ai aucune envie. Ça me dégoûte d'avance. Mais qu'est-ce qui lui passe par la tête ?**

···⟩ **Alors, surtout, on ne se force pas.** Vous n'êtes pas mûre pour regarder un film porno en duo.

* Dans ce cas, **pourquoi ne pas opter pour des films sexy mais qui restent de grands classiques cinématographiques** ? *9 semaines et demie, L'Amant, Eyes Wide Shut...*

* Vous pouvez aussi **lire des textes érotiques, les yeux dans les yeux** : une autre façon de stimuler ses sens, sans passer par la case « visuelle ». Comme on reste dans l'imaginaire, ça devrait vous plaire.

Comme ça, votre partenaire aura le sentiment que vous aurez fait un pas vers ses envies en trouvant des solutions concrètes. Et en même temps, vous ne vous serez pas forcée, ce qui n'est jamais bon dans un couple car après on risque de regretter et surtout d'en vouloir à l'autre de nous avoir poussée à faire ça.

* 2. IL ME PARLE PENDANT L'ACTE. JE FAIS QUOI ?

Quand on sait que **26 % des femmes citent l'utilisation par leur partenaire de mots crus comme un tue-l'amour**, on se dit que ce chapitre est important. Bon, premier constat, ça en fait 74 % qui ne bondissent pas d'horreur au plafond…

Donc, relativisons, votre homme n'est pas un monstre déguisé en porc s'il vous susurre deux, trois trucs pas très catholiques à l'oreille pendant une partie de sexe. Reste à savoir l'effet que ça fait sur vous.

···✧ **Ne réagissez pas trop vite en prenant votre air de prude effarouchée.** Si vous n'êtes pas habituée à ce type de comportement, laissez-vous le temps de réagir tranquillement. Si ça se trouve, vous allez y prendre goût et l'affaire sera classée.

···✧ **Si vous vous en sentez le goût, entrez dans le jeu en utilisant le même ton que lui.** Ça peut alors devenir un nouveau rituel sexuel entre vous. De cette façon, vous n'aurez plus l'impression de subir mais d'être aussi partie prenante de cette nouvelle source d'excitation.

···✧ **Si ce langage cru persiste et que ça vous dérange, parlez-en à la fin du câlin** (histoire de ne pas lui couper tous ses effets en plein milieu de l'acte et de créer un problème supplémentaire).

Mais surtout ne l'accablez pas, dites-lui simplement ce que vous ressentez : que vous n'avez pas l'habitude, que ça vous met mal à l'aise, que vous avez l'impression d'être prise pour un objet sexuel, que vous avez besoin de tendresse plus que de bestialité... Écoutez aussi ce qu'il a à vous dire, sans monter au créneau...

 Et trouvez ensemble le juste milieu
entre ses désirs et les vôtres.

« Les femmes rougissent d'entendre nommer ce
qu'elles ne craignent aucunement à faire. »
Montaigne

✳ 3. IL A DONNÉ UN SURNOM À POPOL. JE FAIS QUOI ?

C'est masculin : **certains hommes adorent donner un petit nom à leur sexe. Il faut dire que, pour eux, c'est souvent le centre névralgique de leur virilité.** Préados, ils comparaient déjà la taille de leur zizi dans les vestiaires de la piscine... C'est vrai que, de notre côté, c'est moins fréquent de trouver un surnom insolite pour notre « tutu ».

Donc, l'homme et son sexe, c'est une longue histoire de complicité virile. Sauf que nous, les femmes, on est plus dans la pudeur et la réserve. Donc, quand on se retrouve face à notre Jules qui brandit fièrement son engin en l'affublant d'un nom ridicule, ça nous laisse coites...

✳ QUE FAIRE FACE À POPOL ?

⋯▷ **Ignorez le problème en espérant qu'il passe tout seul.** Pas la peine d'en faire une affaire d'État. Dans le fond, est-ce que ça vous dérange tant que ça ?

⋯▷ **Rappelez-vous que ça peut être l'effet du « début d'histoire »** : quand on se connaît depuis peu, on est souvent mal à l'aise et un petit surnom permet de cacher sa gêne et de paraître bien dans ses baskets, lors des premières coucheries.

⋯▷ **Et si vraiment ça persiste et que ça vous dérange, parlez-lui simplement.** Avec une touche d'humour, on vous en supplie... Parce qu'on est dans un sujet trop léger pour en faire une dissertation avec thèse, antithèse et synthèse.

L'AVIS DE LA PRO, MARIANNE PAUTI
AU SECOURS, C'EST UN ÉJACULATEUR PRÉCOCE...

24 % des hommes connaissent des problèmes d'éjaculation trop rapide.

Source : *Francoscopie 2007.*

C'EST QUOI UN ÉJACULATEUR PRÉCOCE, RAPIDE OU PRÉMATURÉ ?

L'œil sur la montre, vous le chronométrez ? Ou bien vous comptez le nombre de va-et-vient avant son éjaculation ? Ou encore est-ce que c'est cet homme qui n'éjacule qu'au bout de vingt minutes de coït et que sa femme trouve pourtant trop rapide ? De toute évidence, on ne peut pas définir simplement l'éjaculation précoce.

En réalité, c'est une frustration éprouvée par l'homme chez qui l'éjaculation survient sans qu'il ait pu la retenir.

> ✳ C'est aussi celle ressentie par la femme,
> dont le partenaire ne réussit pas à choisir
> le moment de son éjaculation,
> et qui n'a parfois pas le temps de jouir.

Bien sûr, dans certaines circonstances (grande excitation, fatigue, stress...), cela peut arriver sans pour autant coller une étiquette à votre amant. Mais si vous lui demandez d'attendre un peu et qu'il n'y arrive jamais, vous pouvez considérer que vous êtes face à un éjaculateur précoce. La bonne nouvelle : c'est aussi un homme qui a une très bonne libido, tant mieux. Maintenant, il va devoir faire un apprentissage pour arriver à gérer la survenue de son éjaculation.

COMMENT AGIR ?

C'est un éjaculateur précoce, vous êtes frustrée dans votre sexualité, vous sentez qu'il le vit mal, mais comment aborder le problème ? **Soyez simple et sachez qu'il sera probablement soulagé de pouvoir en parler.** Mais évitez de le culpabiliser ou de le stigmatiser parce que ça n'aura pour effet que de le rendre encore plus anxieux et de renforcer le problème. **Faites-lui savoir que c'est un problème extrêmement fréquent et que ce n'est pas une fatalité (il existe des solutions). Rassurez-le dans sa masculinité, son pouvoir érotique et de séduction.** Les hommes qui souffrent d'éjaculation précoce ont beaucoup de doutes quant à leur virilité. Enfin, essayez de mettre en avant ou de retrouver le plaisir que vous prenez à faire l'amour avec lui, malgré cela.

QUELLES SONT LES SOLUTIONS CONCRÈTES POUR AMÉLIORER LA SITUATION ?

Plusieurs solutions existent. Malheureusement, parmi toutes ces options, beaucoup ne donnent de résultats que temporaires et surtout sont à mes yeux aux antipodes du plaisir. Vous entendrez parler, notamment sur Internet, des méthodes suivantes :

* la méthode du « stop and go » qui consiste à s'arrêter lorsque l'on sent que l'éjaculation va venir et à attendre ;
* la méthode du « squizz » qui consiste à pincer la base du gland ;
* la distraction qui consiste à penser à tout autre chose et si possible à quelque chose de désagréable afin de faire retomber son excitation sexuelle ;
* la crème anesthésiante qui diminue les sensations ressenties au niveau du gland ;
* les médicaments comme les antidépresseurs qui peuvent avoir comme effet secondaire de retarder l'éjaculation...

Toutes ces propositions peuvent donner des résultats, mais sont dans le registre du déplaisir et ne font pas prendre conscience de la façon dont on fonctionne en vue de la faire évoluer.

Il n'y a pas de solution miracle, mais il y a des déclics et des apprentissages. Les éjaculateurs précoces se reconnaîtront dans le fait qu'ils sont dans le contrôle, l'anxiété et la déception de la survenue de l'orgasme. Ils sont surtout motivés par l'envie que leur partenaire ait du plaisir, même si eux n'en ont pas. Parfois, leur malaise va jusqu'à l'anticipation anxieuse et l'évitement du rapport sexuel. C'est cela qu'il faut apprendre à changer en expérimentant le lâcher prise (ne plus contrôler). **Il faut reprendre du plaisir à l'acte sexuel, se faire plaisir et reprendre confiance en soi.**

Si j'avais un seul message à faire passer aux éjaculateurs précoces, ce serait de garder en tête la notion de plaisir. L'éjaculation doit avant tout arrêter d'être vécue comme un échec et une déception. Apprenez (ou réapprenez) à la vivre dans le plaisir et, quand vous la sentez toute proche, laissez-la venir avec bonheur. Si vous continuez à essayer de la retenir, ça continuera à vous faire l'effet d'un « pétard mouillé ». Quant à votre partenaire, s'il est important de lui donner du plaisir, il existe bien d'autres façons de la satisfaire en attendant...

L'un comme l'autre, soyez créatifs
et n'en faites pas une affaire d'État.

LES MAMOURS DU BAS

On parle ici du cunnilingus pour elle et de la fellation pour lui. Il s'agit de rapports bucco-génitaux, un volet de la sexualité tout aussi excitant, gênant que source de plaisir intense.

Avant tout, on se rassure, tout ça n'est pas si tabou... Preuve en est :

 la sexualité orale (fellation et cunnilingus) s'est banalisée et fait désormais partie des pratiques courantes de 80 % des Français.

Source : *Enquête sur la sexualité en France*, Nathalie Bajos et Michel Bozon, La Découverte.

* MODE D'EMPLOI D'UN CUNNILINGUS RÉUSSI

D'après la sexologue Shere Hite qui a publié un rapport détonant sur la sexualité, **98 % des femmes jouissent par stimulation cli-toridienne**. Là, il ne s'agit pas à proprement parler du cunnilingus, mais ça montre bien son potentiel !

* C'EST QUOI UN CUNNILINGUS ?

Ce mot bizarroïde vient du latin *cunnus*, « organes génitaux fémi-nins », et *lingere*, « lécher ».

✳ Il s'agit donc d'une pratique sexuelle qui consiste à stimuler avec la langue, les lèvres ou la bouche, le clitoris.

⋯⟶ Où se trouve le clitoris ?

Ce petit appendice érectile se situe au-dessus de l'entrée du vagin. Bon, c'est très simple, même si la partie visible est petite, on la voit à l'œil nu : il s'agit d'une excroissance ferme et rosée qui contient deux fois plus de terminaisons nerveuses que le pénis (eh oui, messieurs...).

⋯⟶ Comment ça se passe ?

Il existe deux grands scénarios :

* Vous, allongée sur le dos, les jambes écartées avec les genoux pliés. Lui, assis ou allongé avec sa tête entre vos jambes.
* Lui, allongé sur le dos. Vous à quatre pattes au-dessus de lui, en lui offrant vos mille et un mystères...

✳ CONSEILS DE FILLES À L'USAGE DES FILLES

⋯⟶ Si vous repoussez un homme qui se lance dans un cunnilingus, le risque, c'est qu'il ne revienne plus fureter vers cette zone multiplaisir. **Alors réfléchissez avant de refuser.** Surtout qu'on a souvent tendance à dire « non, non, non » par pudeur ou par gêne, alors que, secrètement, on a envie de lui hurler « oui, oui, oui ».

⋯⋙ **N'hésitez pas à gémir, à pousser des petits cris de contentement** pour lui faire comprendre que vous avez envie qu'il continue. Et le conforter dans son rôle d'amant hors pair.

⋯⋙ **Ayez une hygiène irréprochable.** Parce que votre amoureux va se retrouver le nez dans votre boîte à secrets un petit moment. Alors autant ne pas le faire fuir avec des odeurs « beurkouilles ». Et puis, même pour vous laisser aller, ce sera plus facile si vous vous sentez toute proprette.

⋯⋙ **Si vous avez un petit blocage psychologique quand le cunnilingus pointe sa langue, dites-vous :**
* que c'est une pratique ancestrale et qu'il n'y a rien de mal à se faire du bien ;
* que c'est surtout et avant tout un bon moyen de réussir les préliminaires et donc un des moyens les plus sûrs d'atteindre un orgasme ;
* que votre mère, votre sœur ou votre meilleure amie (sans doute) adorent. Alors pourquoi pas vous… ?

✳ CONSEILS DE FILLES À L'USAGE DES GARÇONS

Pas facile de se retrouver devant ce mollusque féminin et d'arriver à viser pile l'endroit où ça fait du bien. Voici sept conseils qui ont fait leurs preuves :

1. Le clitoris est particulièrement sensible… **Maniez-le avec douceur et lubrifiez-le avec de la salive**, surtout au début.

2. Pour que ce soit phénoménal, léchouillez le clitoris, effleurez-le en évitant de le téter ou de l'aspirer. Roulez-le entre vos lèvres et surtout **n'ayez pas peur d'être répétitif** : c'est en refaisant sans cesse les mêmes léchouilles que la femme finira par atteindre l'orgasme.

3. N'oubliez pas les zones périphériques : même si la tête du clitoris est de loin l'endroit le plus tripant, vous pouvez expérimenter les environs. Testez par exemple le « tongue fucking » (soit la pénétration vaginale avec la langue), mais aussi des allers-retours sur les grandes et petites lèvres.

4. Servez-vous de vos mains pendant un cunnilingus pour aller soit fureter du côté de ses seins, soit glisser un ou deux doigts dans son vagin.

5. Soyez patient ! Oui, oui, on peut toutes décrocher un orgasme clitoridien mais il faut parfois faire preuve de persévérance. Tout dépend des femmes et du contexte, mais globalement comptez 10 à 15 minutes en moyenne, la tête plongée dans son mont de Vénus pour qu'elle atteigne le septième ciel. Cela dit, il n'y a pas de règle, certaines n'auront besoin que de 2 minutes là où d'autres ne jouiront pas avant trois quarts d'heure.

6. Le clitoris est souvent plus haut que vous ne pensez...

7. Soyez à l'écoute de votre partenaire. Et insistez là où vous sentez que ça lui fait du bien. Et pour tout savoir sur l'orgasme clitoridien (qui concerne 80 % des femmes !), foncez page 24.

 Les 3 commandements d'un cunni réussi
1. Ta langue pour un marteau-piqueur,
   tu ne prendras pas.
2. En si bas chemin, tu ne t'arrêteras pas.
3. Régulièrement, dans la gueule
   de la louve, tu te lanceras.

Le saviez-vous ?
Comme le rappelle Ellen Willer dans *Les Femmes, le sexe, etc.*, « il paraît que personne ne connaissait le mot "clitoris" avant le début des années 1970. Quel chemin parcouru ! »

✳ MODE D'EMPLOI D'UNE FELLATION RÉUSSIE
✳ C'EST QUOI UNE FELLATION ?

Comme son copain le cunnilingus, le mot « fellation » vient du latin... Et plus précisément de fellare, « sucer ». Il s'agit d'une pratique sexuelle qui consiste à caresser le pénis de son partenaire avec la langue, la bouche et les lèvres.

✳ COMMENT ÇA SE PASSE ?

Il existe une foule de scénarios pour réaliser une fellation. Et notamment :

* Lui, allongé sur le dos. Vous, à genoux ou allongée avec la tête au niveau de la bête.
* Vous, allongée sur le dos. Lui, à quatre pattes au-dessus de vous, avec la bête juste au-dessus de votre bouche.
* Lui, debout. Vous, à genoux, accroupie ou assise. Pour la majorité des hommes, c'est un must... Le côté dominant/dominé est à son summum. En plus, cette position montre que vous concentrez toute votre attention sur ses attributs masculins. Et pour celles qui sont encore un peu réticentes, commencez par les deux scénarios du dessus qui sont plus soft.

✳ POURQUOI LES HOMMES EN RAFFOLENT-ILS ?

⋯⋗ **Parce que votre bouche et vos mains apportent une plus grande palette de sensations que votre vagin.** Vous pouvez jouer sur la cadence, sur le type de caresses, sur les pressions (certains hommes préfèrent avoir un sexe comprimé dans votre bouche plutôt que léchouillé) et c'est vous qui menez la danse jusqu'à l'orgasme.

⋯⋗ **Parce qu'avec une fellation, on peut emmener un homme plusieurs fois au bord de l'orgasme**, puis ralentir le rythme pour faire redescendre la pression avant de repartir de plus belle.

⋯✧ **Pour les novices qui ont peur de mal faire par manque d'expérience**, dites-vous que, en vous lançant, vous ne pouvez pas faire de fausses notes (sauf si vous sortez violemment les dents) : rien que le fait de descendre vers son loup et de se jeter à l'eau l'émoustillera au plus haut point.

⋯✧ **Servez-vous de vos mains** pour le caresser au niveau des testicules, des fesses et des tétons. Vous pouvez utiliser une de vos mains que vous placerez à la base de son pénis pour pouvoir le masturber en même temps que vous cajolez le bout de son sexe. En plus, ça vous permettra de ne pas vous étouffer avec l'objet du délit.

⋯✧ **Allez fouiner du côté de ses testicules** en les léchouillant comme deux boules de glace. Certains hommes en raffolent, à vous de voir si votre partenaire est sur cette longueur d'onde-là.

⋯✧ **Faites monter petit à petit le plaisir.** Commencez en douceur... et surtout très lentement, histoire de titiller ses limites. Ensuite, le principe, c'est de se lancer dans des mouvements de va-et-vient, en concentrant vos efforts sur le bout de son sexe qui est particulièrement sensible (eh oui, le gland est truffé de terminaisons nerveuses). N'hésitez pas à enrouler votre langue autour du gland, sans oublier le frein, une zone tutti-plaisir.

⋯✧ **Regardez-le dans les yeux**, si vous vous sentez d'attaque. Ça ajoutera encore plus de piment. Les hommes adorent les échanges de regards pendant les ébats, ils se sentent face à une femme qui assume ses actes et en profite pleinement.

···⟩ **Montrez que vous prenez du plaisir** (une fellation ratée, c'est celle où l'on ne fait que pomper mécaniquement pour vite en finir). Il n'y a rien qui excite plus un homme que de nous voir mettre du cœur à l'ouvrage. Montrez-lui que vous n'êtes là que pour son plaisir. Et puis, dites-vous qu'il vous rendra sûrement la pareille dans la foulée…

···⟩ **Ne vous brossez pas les dents juste avant…** Car autant un glaçon peut laisser une agréable sensation de fraîcheur dans votre bouche, autant l'effet dentifrice est vraiment désastreux : ça pique, pique, pique au bout de quelques minutes.

···⟩ **Variez les plaisirs en changeant de lieu** (à la sortie d'un resto, dans la voiture, sous la douche, au ciné…), **de sensations** (buvez juste avant une boisson chaude… on n'a pas dit bouillante ! ou mangez une glace), **d'artifices** (utilisez une plume, vos cheveux, vos seins… pour le caresser différemment à chaque fois).

···⟩ **Au secours, j'ai peur…**
* De mal faire
Non, non, rassurez-vous… Un homme est tellement fan de fellation qu'il sera déjà très acquis à votre cause si vous vous lancez. N'hésitez pas à lui demander ce qui lui plaît et ce qui lui plaît moins, il n'y a pas de honte à avoir. Au contraire, il sera flatté que vous vous intéressiez de si près à son plaisir.

* D'attraper une MST

Effectivement, les rapports bucco-braguette présentent des risques de transmission des IST (infections sexuellement transmissibles). Si vous êtes face à un nouveau partenaire, n'hésitez pas à utiliser un préservatif et sachez qu'il existe des modèles spécialement adaptés à ces mamours du bas (non lubrifiés et parfumés).

* De l'éjaculation

C'est souvent un frein évoqué par les récalcitrantes : la peur que l'éjaculation arrive soit directement dans la bouche, soit sur le visage. Rassurez-vous, vous le sentirez arriver : le sexe devient de plus en plus dur, il se contracte et devient rouge foncé.

Plusieurs solutions : soit vous arrêtez à ce moment-là et continuez avec la main, soit vous décidez d'avaler si le goût et l'idée ne vous dérangent pas. Voyez le côté positif : le sperme est truffé de protéines et de fructose et certains laboratoires pharmaceutiques l'utilisent même dans des crèmes de soin pour le visage car il aurait la vertu de rendre la peau plus belle. Mais ne vous sentez surtout pas forcée de le faire !

* De m'étouffer

Non, vous n'êtes pas obligée de plonger son esquimau dans le fond de votre gorge. Bien au contraire, rappelez-vous que le bout du sexe est la partie la plus « waouh »...

✳ CONSEILS DE FILLES À L'USAGE DES GARÇONS

⋯❯ Nous, les filles, on ne sait pas ce qu'une fellation procure comme sensation. Du coup, on peut mal s'y prendre alors qu'on est toute pleine de bonne volonté. **L'idée pour que tout le monde soit comblé ?** Que l'homme prenne le doigt de sa partenaire et le lèche exactement comme il aimerait qu'elle lui lèche son pénis.

⋯❯ **N'insistez pas comme de gros lourdauds...** Pour certaines filles, c'est un vrai cap à passer. Donc elles ont souvent besoin d'un peu de temps avant de se lancer.

⋯❯ **Ne vous moquez jamais d'elle.** Au contraire, mettez-la en confiance. Et puis, si, vous-même, vous vous attelez au cunnilingus, il y aura sûrement un retour sur investissement...

✳ Les 3 commandements d'une fellation réussie
1. Ton temps, tu prendras pour dorloter son sexe.
2. Tes dents, tu couvriras avec tes lèvres.
3. À son rythme, tu te calqueras.

Le saviez-vous ?
La fellation est considérée, au regard de la loi, comme un acte sexuel, au même titre que la pénétration.

✳ ET POUR QUE LES DEUX AMANTS S'Y RETROUVENT

✳ 1. ADOPTEZ LE 69

La femme se lance dans une fellation pendant que l'homme travaille le cunnilingus. L'idée, c'est de se mettre dans la même position que les chiffres, on vous laisse imaginer...

Les +
* chacun prend son pied en même temps ;
* personne ne se sent dans une situation « avilissante », tout le monde est actif et passif simultanément ;
* on est concentrés sur ce qu'on fait sans avoir le poids du regard de l'autre.

Le -
* on ne profite pas pleinement de son plaisir, voire de son orgasme puisqu'on est soi-même affairé...

✳ 2. ALTERNEZ DES PHASES DE PÉNÉTRATION ET DE MAMOURS DU BAS

Parfois, le désir met du temps à monter et, au bout de 15 minutes de bons et loyaux services, on n'a qu'une envie : lâcher la bête et arrêter fellation (ou cunnilingus) en plein milieu... et on se comprend ! Alors, pour éviter les prolongations qui font qu'on s'impatiente, pensez à alterner des phases de pénétration et de mamours du bas. Ça vous restimulera entre chaque phase...

L'AVIS DE LA PRO, MARIANNE PAUTI
DITES, POURQUOI LES HOMMES AIMENT LA SODOMIE ?

QU'EST-CE QUE LA SODOMIE ?

La sodomie c'est le coït anal, c'est-à-dire la pénétration par l'anus dans le rectum.

Pour beaucoup, la sodomie reste taboue et c'est sûrement pour cela qu'elle suscite tant de convoitises. C'est un fruit défendu. Elle est aussi nichée dans le secret de l'intimité. L'obtenir ou s'y adonner est une marque de confiance, d'abandon et une certaine capacité à la transgression.

POURQUOI LA SODOMIE EST-ELLE TABOUE ?

Parce que ce n'est pas dans l'ordre des choses du point de vue de la procréation, alors y a-t-on droit ? Parce que on peut craindre qu'elle ne révèle une homosexualité enfouie. Parce que cette pratique a été longtemps considérée comme perverse, infamante et réservée aux homosexuels. Parce qu'il est sale et dégoûtant de mélanger sexualité avec anus et excréments. Parce que c'est impudique.

COMMENT HOMMES OU FEMMES VIVENT-ILS LA SODOMIE ?

Il est vrai que c'est une envie et une demande majoritairement masculine, même si les demandes féminines se font plus fréquentes.

* **Pour les femmes**, cela signifie s'offrir, accepter d'être réceptive, se laisser pénétrer au plus intime, se soumettre un peu aussi.

* **Pour les hommes**, c'est très excitant, c'est un peu interdit, ça change de la sexualité routinière, ça fait partie de leurs fantasmes. Ils se sentent confortés dans une forte virilité, un peu dominatrice, c'est encore plus posséder la femme, la soumettre.

DOIS-JE ACCEPTER PAR AMOUR ?

Ainsi, la sodomie est une forme de sexualité qui s'inscrit dans la confiance et la connaissance mutuelles, la capacité de communiquer, la réciprocité des désirs et le respect de l'autre. Il faut bien se connaître. **Il est essentiel de savoir dire non si on n'a vraiment pas envie pour toutes sortes de raisons ; c'est savoir se respecter soi-même.** En la matière, il faut arriver à se laisser aller et se lancer si vous en avez envie, mais ne pas se forcer uniquement pour faire plaisir à l'autre.

> *La sodomie est à la limite de la transgression
> mais revêt les charmes de l'interdit.*

J'AI ENVIE, MAIS JE NE SAIS PAS TROP COMMENT M'Y PRENDRE.
Prenez votre temps et ne vous lancez pas de but en blanc dans une
pénétration anale sans l'avoir préparée. L'anus est une zone très
innervée et fortement érogène. Il est à la fois agréable et utile
d'utiliser des lubrifiants. Les caresses et les stimulations à l'extérieur et à l'intérieur sont extrêmement excitantes. Sachez vous
détendre et vous laisser aller. Il faut savoir accueillir ces stimulations inédites. Soyez à l'écoute des sensations nouvelles que vous
éprouvez. C'est une zone érogène à découvrir et à vous approprier.

> *Dites-vous bien que, lors des premières fois,
> le coït n'est pas obligatoire.*

Ça peut être simplement des caresses, des écartements, des petites
pénétrations avec le doigt, afin d'apprivoiser progressivement cette
zone. Ensuite, quand l'anus est devenu une source d'excitation et
après une nécessaire préparation, vous pouvez envisager la sodomie. Au niveau de l'anus, il y a un sphincter, c'est-à-dire un anneau
musculaire contracté qui permet de retenir les selles. Il est donc

important de se détendre et d'utiliser la lubrification (naturelle ou pas) pour que la pénétration ne soit pas douloureuse. Le coït anal se révèle alors extrêmement jouissif, d'autant plus que cette zone est d'une grande richesse sensorielle. Sachez qu'il peut tout à fait déclencher des orgasmes chez la femme aussi.

J'AI PEUR D'AVOIR MAL...

Pour éviter les douleurs, il faut, nous l'avons vu, lubrifier l'anus et que la pénétration se fasse en douceur. Détendez-vous et trouvez une position dans laquelle vous serez à l'aise. Certaines positions sont plus propices que d'autres. Il faut que les mouvements puissent être maîtrisés et doux. D'autre part, d'un point de vue anatomique, le rectum est courbé ce qui fait que certaines positions sont plus opportunes que d'autres. À vous d'essayer !

PETITES OBSERVATIONS PLUS MÉDICALES...

* **N'ayez pas peur, la sodomie ne déclenche pas d'incontinence ou de dilatation définitive de l'anus.** Avec l'apprentissage, l'anus peut se laisser dilater, mais il reprend ensuite sa configuration initiale.

* **Pour ce qui est des lésions, des fissures et des hémorroïdes**, elles seront évitées grâce à la douceur et à l'utilisation d'un lubrifiant. Enfin, il est évident que si le coït anal se poursuit par un coït vaginal, des germes fécaux risquent de contaminer le méat urinaire et provoquer une cystite. D'où la nécessité d'uriner et de nettoyer la vulve après un rapport sexuel, a fortiori anal.

* **Concernant l'utilisation des préservatifs**, il va de soi qu'ils sont tout aussi nécessaires pour la sodomie que pour la pénétration vaginale afin de protéger des maladies sexuellement transmissibles. Pour le choix des préservatifs, la sodomie entraînant plus de risques de rupture, il vaut mieux en choisir des plus solides et épais, c'est-à-dire ceux labellisés à usage intensif.

RÊVES ÉROTIQUES
ET FANTASMES

Les rêves érotiques sont sans tabou, ils ignorent la pudeur et les complexes physiques. C'est pour cette raison qu'il ne faut pas les prendre au pied de la lettre : à mille lieues de la réalité, ils sont au contraire totalement codés.

Alors ce n'est pas parce qu'on se voit – en rêve – faire des cabrioles avec trois hommes attachés aux barreaux du lit qu'on est frustrée dans sa vie sexuelle ou qu'on désire secrètement cette mise en scène. C'est juste qu'on a une imagination débordante, côté sexe, ce qui est positif dans la vie amoureuse.

Rêver qu'un inconnu nous fasse l'amour comme si on était Monica Bellucci, avec tendresse, douceur et bestialité, c'est une arme secrète et inconsciente qui regonfle notre confiance en nous.

Idem si vous rêvez de vous faire sauvagement plaquer contre un mur par votre boss, ça ne veut absolument pas dire que vous voulez tromper votre homme. Ouf.

Quant aux fantasmes, on pourrait les définir comme un film intérieur :

 On se fabrique volontairement
et consciemment un scénario coquin
dans lequel on tient le rôle principal.

L'enjeu ? Titiller notre libido et se sentir capable de tout, sans le regard des autres, le poids de l'éducation et la sanction du « c'est bien/c'est mal ». Les marges de manœuvre sont alors décuplées et on se transforme, dans nos fantasmes, en bête de sexe.

Ça tombe bien parce qu'il paraît que plus on a des pics sexuels secrets, plus on a envie de faire l'amour.

Le hic ? Quand on a des flashs sur nos rêves torrides et nos fantasmes inavouables, on a envie de s'enfouir la tête six pieds sous terre, tellement on a honte. **On s'en veut d'avoir des pulsions sexuelles imaginaires**, surtout quand on se sent en totale adéquation avec sa sexualité réelle.

Tant qu'un fantasme ne vire pas à l'obsession, il est inoffensif. Inutile de s'autoflageller quand on y repense. On ne doit pas se sentir coupable de faire certaines choses vraiment coquines dans sa tête qu'on ne s'accorderait jamais au quotidien. Au contraire, c'est un bon moteur pour s'épanouir sous la couette avec son partenaire.

> Les fantasmes, c'est une vie parallèle
> que l'on doit accepter pour être bien
> dans ses baskets... enfin dans sa culotte.

Même son de cloche pour les rêves érotiques :

> Ne les refoulez pas.
> C'est un lieu privilégié pour faire abstraction
> de la morale et de la bienséance.

Et hop ! je me retrouve à prendre un pied maximum avec mon prof de piano. Ça n'est pas forcément le message sexuel sous-jacent : n'ayez pas le feu aux joues quand vous le recroiserez la prochaine fois, vous n'êtes pas pour autant secrètement amoureuse de lui...

Le saviez-vous ?
Certaines études américaines ont montré que plus on aurait de fantasmes, plus on serait épanoui sexuellement...

Il faut savoir que les rêveries friponnes fonctionnent par allégories : évitez l'analyse de rêves de comptoir... D'autant plus que les spécialistes révèlent que les rêves les plus hot sont souvent le reflet de la vie et des relations humaines, là où les rêves lambda cachent parfois des éléments sexuels.

Les questions que l'on se pose toutes...

✳ 1. EST-CE UNE BONNE IDÉE DE RACONTER MES RÊVES ÉROTIQUES ET FANTASMES À MA MOITIÉ ?

Vous êtes la mieux placée pour connaître votre homme et anticiper ses réactions. Car il n'y a pas de règle d'or : il existe autant de façons d'agir que de couples. **Reste juste à découvrir votre mode de communication.**

✳ QUITTE OU DOUBLE !

À vous de voir si, dans votre relation, raconter vos fantasmes peut vous émulsionner tous les deux et vous donner plein d'ardeurs sous la couette. Si c'est le cas, ça vaut le coup. En revanche, sachez que, parfois, partager ses fantasmes avec son partenaire leur fait perdre tous leurs effets stimulants. Dans ce cas, mieux vaut les garder au fond de soi comme son petit jardin sexuel secret.

✳ MARCHEZ SUR DES ŒUFS...

Ce qui est sûr, c'est qu'il faut que les deux partenaires soient sur la même longueur d'onde. Et qu'aucun des deux ne se sente forcé ou lésé dans le désir. **Le problème d'un fantasme, c'est qu'il est souvent farfelu et exigeant sexuellement : il peut donc booster les sens de l'un et refroidir ceux de l'autre.** Donc allez-y *piano* quand vous abordez le sujet... Tant que votre homme vous suit, foncez. Sinon, gardez-le pour vous, quitte à retenter le coup une prochaine fois.

✳ 2. FAUT-IL PASSER À L'ACTE ?

Ce n'est pas du tout une obligation de réaliser les fantasmes qui nous trottent dans la tête. Pour plusieurs raisons :

* Une fois qu'on y a goûté dans la réalité, on peut être déçu.

* Dès lors qu'un fantasme a été testé, il cesse d'être efficace dans notre tête.

* Un fantasme existe en tant que tel... Sa réalisation enlève la part de rêve et de mystère qui l'enrobait.

* Quand on a assouvi un fantasme, il faut en trouver un nouveau et on tombe vite dans l'escalade sexuelle. Ce qui nous paraissait tripant devient alors banal.

Cela dit, **en réalisant certains de vos fantasmes, vous pourrez retrouver un peu de panache dans votre sexualité.** Quand la routine envahit votre lit, chassez-la en faisant entrer un peu de fantaisie dans vos habitudes.

Si vous êtes partants à deux, c'est tout bon. Car il ne faut jamais se sentir obligé d'accomplir les lubies sexuelles de l'autre, juste pour lui faire plaisir : votre consentement est crucial.

> À vous de tâtonner ensemble
> pour définir les barrières
> de votre terrain de jeu sexy.

* 3. JE N'AI NI RÊVES ÉROTIQUES NI FANTASMES. C'EST GRAVE, DOCTEUR ?

Pas de stress ! De temps en temps, **notre imagination n'a pas besoin d'aller fureter sur des sentiers érotiques car la réalité est vraiment satisfaisante.** Surtout au début d'une histoire d'amour : c'est souvent une période de frénésie sexuelle qui ne laisse aucun répit à nos fantasmes.

Donc tant que ça ne vous manque pas, tout va bien. Et dès que vous sentez la lassitude vous rattraper, stimulez votre libido. En vous plongeant dans des lectures ou films érotiques, vous titillerez facilement la case « fantasme » en vous.

> ✳ **38 % des hommes fantasment sur les seins des femmes.**

Source : sondage BVA, juin 2001.

✳ LES FANTASMES PRÉFÉRÉS DES FRANÇAIS

✳ DES FEMMES

* Regarder un couple faire l'amour (32 %)
* Regarder deux femmes faire l'amour (14 %)
* Faire l'amour à plusieurs (11 %)
* Avoir une relation avec une autre femme (10 %)

✳ DES HOMMES

* Faire l'amour dans la nature (53 %)
* Être initié au sexe par une femme sans tabou (37 %)
* Faire l'amour avec deux femmes (36 %)
* Avoir une maîtresse exotique (34 %)
* Faire l'amour avec une inconnue sans se parler ni se revoir (29 %)
* Avoir un harem prêt à assouvir tous ses désirs (27 %)

Source : *Francoscopie 2003*, Gérard Mermet, Larousse.

L'IMPRÉVU EST SÛREMENT
L'UN DES MEILLEURS APHRODISIAQUES
DANS UN COUPLE.

ALORS, SURPRENEZ-VOUS !

TÉMOIGNAGES
ELLES NOUS RACONTENT
LEUR FANTASME INAVOUABLE

* « Je rêve d'une partie de sexe avec Édouard Baer... Mais je voudrais qu'il soit fou de moi, complètement transi d'amour et prêt à tout pour mon plaisir. Évidemment, dans mon fantasme, la suite finit en happy end : il est tellement heureux et comblé à mes côtés qu'il m'épouse et me fait plein d'enfants. Réaliste, non ? »
Marie-Laure, 30 ans

* « J'adorerais avoir à mon compteur sexuel juste une nuit où personne ne serait au courant. J'en profiterais pour m'offrir une séance de galipettes avec le meilleur ami de mon homme que je trouve si sexy et mâle. Je sais que ce n'est pas très moral, mais on parle bien de fantasme ? »
Lorraine, 27 ans

* « Je n'ai jamais passé le cap et je sens qu'au fond de moi ce n'est pas mon truc, mais j'aimerais embrasser une femme juste pour voir. Et plus si ça me plaît... Parce que je me dis qu'une femme serait la mieux placée pour connaître mes zones les plus érogènes. »
Sidonie, 32 ans

* « J'aimerais que mon homme m'accroche au lit, me bande les yeux et prenne les ébats en main. Je veux que ça frise la soumission... Ce que j'adore au quotidien chez lui, c'est son côté nounours attentionné et rassurant. Mais parfois, j'aimerais plus de bestialité et de sulfureux dans nos corps à corps. Je crois que je suis mûre pour lui en parler. »
Adélaïde, 33 ans

* « Mon plus grand fantasme ? Faire l'amour avec deux hommes. Obligatoirement deux inconnus que je ne reverrais pas le lendemain. Histoire d'avoir une parenthèse dans ma vie cadrée. J'ai envie de me sentir l'objet de toutes les convoitises masculines. »
Luella, 19 ans

* « J'aimerais avoir un amant, juste pour les préliminaires et notamment les cunnilingus. Il viendrait chez moi uniquement pour ça et je n'aurais aucun compte à lui rendre. Et surtout pas de lui rendre la pareille dans un lit. »
Vahina, 22 ans

* « Je voudrais libérer la fille sexuelle qui dort en moi. Dans mes rêveries érotiques, je suis la plus audacieuse. Mais dès que la réalité frappe, je redeviens prude. Je n'arrive pas à me lâcher dans un lit, je me sens gauche et mal à l'aise. C'est sans doute pour ça que mon fantasme vient toucher pile ma faille. »
Rose, 24 ans

Si en plus, tu me dis que tu apportes le p'tit dej au lit, et que tu n'as pas peur de l'engagement, je t'epouse.

SEX-TOYS, FAUT-IL TOMBER DANS CETTE TENDANCE ?

C'est grâce aux quatre copines délurées de *Sex and the City* que la grande tendance des sex-toys (« joujoux sexuels ») a fait son entrée. Effectivement, dans cette série culte, le rabbit vibrant (un gentil petit lapin qui cache bien son jeu) libère les esprits et impose les sex-toys comme étant le dernier gadget plaisir incontournable.

Nous sommes une nouvelle génération, de plus en plus décomplexée face à ces artifices fripons. Il faut dire que maintenant on trouve des boutiques et sites Internet porno chic, bien loin de l'ambiance glauque des sex-shops de Pigalle. Sonia Rykiel a, la première, consacré le sous-sol de sa boutique à tout plein de jeux d'adultes colorés et effervescents.

En plus, dans les magazines féminins, on revendique le droit au plaisir sous la couette.

> ✳ Faire l'amour n'est plus simplement un devoir conjugal, mais un moyen de connaître l'extase à deux.

Être comblée sexuellement, voilà ce dont on rêve toutes.

✳ POURQUOI SUCCOMBER À CETTE TENDANCE ?

⋯⟩ **Parce que c'est l'une des meilleures façons d'atteindre l'orgasme pour une femme.** Ainsi, 99 % d'entre nous peuvent décrocher un orgasme clitoridien grâce à un sex-toy spécial clito... Ça laisse rêveuse...

⋯⟩ **Parce qu'il existe plein de modèles (et pas forcément vulgaires).** Aux oubliettes le godemiché en forme de pénis XXL à la Rocco tout en plastoc. On vous laisse juge pour vous faire une idée de ce nouvel univers (pour trouver votre bonheur, foncez page 197, au chapitre « Le nec plus ultra sur le Net »).

⋯⟩ **Parce que, quand on est en solo, un sex-toy permet de garder une vie sexuelle sympa** et, quand on est en duo, ça pimente les ébats.

⋯⟩ **Parce qu'avec un sex-toy on peut découvrir son intimité et ses zones particulièrement sensibles.** Une bonne façon d'apprivoiser sa sexualité.

Petit bémol
Il faut être honnête, les sex-toys, c'est une vraie tendance... mais surtout dans les médias en quête de nouveautés et dans les conversations de dîners de potes. En réalité, peu de gens ont franchi le pas...

Il faut vraiment avoir conscience du décalage qui existe entre l'image qu'on s'en fait (« tout le monde a essayé sauf moi ; au secours, je suis empotée sexuellement ») **et la vraie vie dans le lit des Français :** non, non, vous n'êtes pas un cas isolé. D'après le *Global Sex Survey* de Durex :

✳ **20 % seulement des Français auraient utilisé un sex-toy.**

Contre 43 % des Américains et 49 % des Anglais – ah, ces petites Anglaises... Mais ces chiffres ont été publiés en 2004, donc peut-être ont-ils un peu augmenté depuis car la tendance n'a fait que se confirmer.

✳ POUR LES CÉLIB' : DE TON SEX-TOY, TU NE CULPABILISERAS PAS

Soyez décomplexée : vous avez bien raison de penser à cette option ; pourquoi se priver de plaisir ? Pas besoin de faire abstinence quand on n'a pas de partenaire sexuel...

Vous aussi vous avez droit à vos quarts d'heure plaisir. Et pour que ce soit une réussite totale :

1. Mettez-vous en condition : après un bon bain chaud, pendant une soirée où vous serez sûre de ne pas être dérangée (n'hésitez pas à éteindre votre portable pour plus de tranquillité d'esprit)...

**2. Optez pour un vibro en forme de pénis avec un côté spéciale-
ment conçu pour titiller votre clito.** Avec cet « electric boy-
friend », vous obtiendrez des orgasmes quasiment à tous les coups.

3. Et pour celles qui n'ont jamais passé le cap, **dites-vous qu'il n'y
a pas à rougir de son plaisir.** Ça fait longtemps que les rapports
sexuels ne sont plus uniquement là pour procréer. Alors, si les couples prennent leur pied, vous y avez droit vous aussi !

✳ POUR LES COUPLES : DE TON SEX-TOY, TON HOMME NE SERA POINT JALOUX.

À vous de faire en sorte que votre partenaire ne ressente pas de
compétition avec votre « sexe à pile » :

1. Choisissez un modèle loin de la réalité : plutôt qu'un godemiché 100 % réaliste (enfin, souvent plus gros et plus large que celui
de votre amant...), optez pour un vibro de couleur très ludique qui
deviendra un joujou complice de votre plaisir en duo.

2. Dénichez-le ensemble. Ce sera ainsi une démarche sexy de couple et non une de vos marottes que vous lui imposez. Évidemment,
pour plus de discrétion, ayez le réflexe Internet. En plus, en choi-
sissant à deux, vous pourrez mettre la main sur le modèle qui
répondra à vos besoins : avec ou sans pénétration, un modèle spécial clitoris...

3. Rassurez clairement votre partenaire en lui expliquant que le sextoy ne remplacera jamais le plaisir qu'il vous procure : c'est un complément, un bonus sexuel, point barre (même si c'est faux, hi ! hi !).

4. Commencez en douceur. Dites-vous que, derrière le mot « sextoy », il y en a pour tous les goûts ; plutôt qu'un vibro ou un godemiché vraiment explicite et donc intimidant, il y a moult alternatives : anneau vibrant, huile corporelle aphrodisiaque, peinture au chocolat pour le corps, lubrifiants, déguisements coquins, menottes en fourrure et cravache en plume, culotte fendue, soutien-gorge qui laisse entrevoir les tétons...

✳ TOUR D'HORIZON RAPIDE DES QUELQUES SEX-TOYS QUI ONT FAIT LEURS PREUVES...

1. Les godemichés : il s'agit d'un sexe masculin en plastique, silicone ou autre pour une pénétration vaginale ou anale. À utiliser en solo comme substitut ou en duo comme bonus.

2. Les vibromasseurs : tous les joujoux sexuels qui vibrent, quelles que soient leur forme, leur couleur ou leur matière. Certains fonctionnent avec des piles, d'autres se branchent sur le secteur... Ils sont là pour stimuler le clitoris et/ou pour vibrer à l'intérieur du vagin (si sa forme le permet). Sachez qu'il existe des modèles spécial point G...

3. Les cockrings : il s'agit d'anneaux à placer à la base du sexe masculin (dès le début de l'érection).

Le but ? Limiter la circulation du sang, ce qui permettra à l'heureux porteur de connaître une érection plus intense et de booster le plaisir lors de l'éjaculation.

Dans cette catégorie, on englobe les **anneaux vibrants** : même principe sauf qu'ils ont un minivibro intégré pour stimuler le clitoris lors de la pénétration, histoire de donner du plaisir aux deux partenaires. Il est facile de trouver ces anneaux « magiques » en grande surface, au rayon des préservatifs...

L'AVIS DE LA PRO, MARIANNE PAUTI
LES TROUBLES DU DÉSIR

QU'EST-CE QUE LA FRIGIDITÉ ? L'ANORGASMIE ?

La **frigidité** se définit comme le manque d'envie et de désir sexuel. L'**anorgasmie** est l'absence d'orgasme vaginal ou clitoridien. Mais cela n'empêche pas que l'on peut prendre du plaisir à avoir un rapport sexuel sans avoir d'orgasme ou sans savoir repérer que l'on a eu un orgasme.

> Il faut bien différencier l'absence de désir, l'absence de plaisir et l'absence d'orgasme.

···▷ Il existe deux types de trouble du désir : soit le désir n'a jamais existé, soit le trouble s'est installé au fil d'une relation devenue insatisfaisante.

1. SI VOUS N'AVEZ JAMAIS EU DE DÉSIR SEXUEL ET NE RESSENTEZ PAS D'EXCITATION QUELLES QUE SOIENT LES CIRCONSTANCES...

Il est possible que vous ayez des blocages dont les causes sont diverses : tabous, éducation rigide, abus sexuels ou mauvaises expériences, absence d'apprentissage et d'appropriation de votre corps... L'épanouissement sexuel peut alors nécessiter le recours à un spécialiste (thérapeute ou sexologue) à même de vous aider à surmonter vos tabous et vos expériences négatives. À ses côtés, vous ferez un apprentissage de la sexualité.

2. SI VOTRE DÉSIR SEXUEL S'EST ÉMOUSSÉ ET QUE VOUS EN SOUFFREZ...

Ne vous endormez pas sur vos lauriers. Il faut alors essayer de comprendre comment vous en êtes arrivée là, afin de mettre en place une stratégie à même de faire redémarrer la machine. Les causes que l'on identifie habituellement sont la routine, l'absence de communication sur la sexualité, les problèmes relationnels dans le couple, les douleurs lors des rapports, les naissances... Là encore, l'aide d'un tiers est parfois utile.

EST-CE GRAVE DOCTEUR ?

L'anorgasmie est le plus souvent un défaut d'apprentissage. Celui-ci peut toujours se faire, seule ou à deux. Certaines femmes ont des orgasmes en se masturbant, mais pas lors des rapports sexuels. D'autres ont des orgasmes mais ne s'en rendent pas compte ou les vivent de façon très négative. Pour beaucoup de femmes, ne pas avoir d'orgasme ne veut pas dire ne pas aimer et ne pas prendre de plaisir à faire l'amour. **L'orgasme est un plus, mais sûrement pas un but en soi.**

CONCRÈTEMENT, JE FAIS COMMENT ?

Si le rapport sexuel est un plaisir, même en l'absence d'orgasme, continuer à faire l'amour me semble souhaitable. Il y a du plaisir et cela permet les apprentissages.

En revanche, en l'absence de plaisir, il me semble capital de ne pas se forcer. En effet, c'est le moindre des respects à l'égard de soi-même. Nous ne sommes plus au temps du devoir conjugal où la femme fermait les yeux et pensait à autre chose.

Et d'autre part, **ce n'est jamais en se forçant que les choses s'arrangent.** Bien au contraire, cela risque de les aggraver. On ne fait pas l'amour uniquement pour faire plaisir à son partenaire, mais aussi pour son propre plaisir et pour partager ce bonheur.

COMMENT GÉRER
LES DÉCALAGES SEXUELS ?

Il y a autant de façons de faire l'amour que d'individus. Le tout, c'est que ça marche. Ce qui n'est pas toujours le cas car chacun arrive avec son petit lot d'envies, de pudeur, de marottes, de fantasmes et d'habitudes sexuelles.

Mais rassurez-vous, s'il y a bien un domaine qui peut évoluer, c'est le sexe. **À vous de trouver un compromis entre vous deux : ce qui est possible pour vous, ce qui est possible pour lui (quitte à négocier) :**

* D'accord, je veux bien tenter ça, mais ce qui m'aiderait c'est que tu fasses ça en même temps...

* Aujourd'hui, on fait comme tu aimes. Demain, c'est moi qui mènerai la danse...

Une fois de plus, n'hésitez pas à parler avant, pendant ou après l'acte (selon votre mode de fonctionnement) pour dévoiler à cœur ouvert ce qui vous tente ou vous tourmente.

> ✳ À chaque problème sexuel, une solution...
> Mais encore faut-il en parler !

✳ DANS LE NOIR TOTAL OU EN PLEINE LUMIÈRE ?

> « La pudeur n'est le plus souvent qu'une question d'éclairage. »
>
> Pierre-Jean Vaillard, *Le Hérisson vert*

Globalement, les femmes préfèrent faire l'amour dans l'obscurité, alors que les hommes raffolent de la lumière. Eh oui, les stimulants visuels ont beaucoup plus d'impact sur eux que sur nous... Preuve en est : 61 % des hommes sont sensibles à ce qu'ils voient pendant l'acte, contre seulement 39 % des femmes.

Pour se lâcher, une femme a souvent besoin d'une ambiance rassurante ; **la pleine lumière nous rappelle là où on est et ce qu'on y fait.** Donc une levrette devient souvent plus trash à la lumière crue que dans une atmosphère sombre et tamisée : on prend vraiment conscience de ses actes et le laisser-aller risque de s'enfuir, au bénéfice du « beurk, qu'est-ce que je suis en train de faire ? ». Il arrive aussi que les femmes ne veuillent pas être vues (eh oui, toujours le complexe des petits bourrelets sur le ventre ou les fesses un peu trop rondes !).

✳ LES SOLUTIONS ?

Ici, chacun peut s'adapter à l'autre...

1. Un peu de lumière, d'accord, mais plutôt en fin d'après-midi entre chiens et loups. Ou à la lueur de la bougie. Ou en tamisant la lumière avec des abat-jour plus foncés ou des ampoules moins violentes, par exemple.

2. Dans le noir, d'accord, mais pas total... Laissez un filet de lumière passer par le rideau ou la porte de votre chambre ouverte (avec la lumière allumée dans le couloir). Ou la télé (et pourquoi pas sur une chaîne musicale, il y aura non seulement l'éclairage de la télé mais aussi de la musique, vous aurez tout gagné).

3. Chacun peut rester sur ses positions : celui qui aime la lumière regardera jusqu'à plus soif, tandis que l'autre aura les yeux bandés avec un foulard bien opaque. Ça peut être hyper excitant.

4. Si ce n'est pas pathologique pour vous (oui, vous préférez mille fois le noir mais finalement la lumière ne vous dérange pas plus que ça ; ou inversement), **faites une fois sur deux en alternant lumière et noir complet.** Car un couple, c'est aussi fait de petites concessions sexuelles.

Le saviez-vous ?
Le sens le plus important mis en jeu pour favoriser l'acte sexuel est le toucher (93 %), devant la vue (50 %).

✳ IL Y EN A UN PLUS CHAUD QUE L'AUTRE. COMMENT RÉCHAUFFER LE PLUS RÉTICENT ?

Globalement (et même si on ne veut pas plonger dans un grand cliché), les hommes ont souvent plus envie de faire l'amour que les femmes. Mais finalement, peu importe que ce soit lui ou vous le chaud lapin, le tout c'est de trouver le juste équilibre entre celui qui est en appel et celui qui freine.

Pas de recette miracle, l'idée, c'est que chacun fasse un pas vers l'autre : celui qui a tout le temps envie retiendra un peu ses pulsions (il n'est pas tout seul, son partenaire n'est pas en sex-self-service), tandis que celui qui est moins motivé fera des efforts pour faire plaisir à l'autre. D'ailleurs, l'appétit sexuel vient en pratiquant...

✳ LES SOLUTIONS ?

1. Analysez d'où vient ce décalage. Souvent, celui qui fuit les parties de jambes en l'air n'y trouve pas son compte : faire l'amour tous les jours (ou même trois fois par semaine) quand on ne prend pas son pied, ça devient un calvaire. Il faut donc faire passer le message, le plus subtilement possible en expliquant concrètement à l'autre ce qu'on aime et ce qui nous fait du bien. Les deux ont à y gagner...

Et surtout si ce message vous est adressé, ne vous braquez pas : ce n'est pas vous qui êtes remis en cause, mais les rouages ont besoin d'être réajustés. La sexualité évolue tout au long d'une relation, et soyez attentif aux envies de l'autre. S'il y a bien un truc qui n'est pas mathématique, c'est la sexualité.

> * Si les deux sont à l'écoute de l'autre,
> quoi qu'il arrive, ce sera un couple
> gagnant sous la couette.

2. Prolongez les préliminaires. C'est le meilleur moyen de préparer le corps pour que la suite du rapport sexuel soit au top. Et c'est valable bien sûr pour les femmes, mais aussi pour les hommes.

3. Adoptez le réflexe cunnilingus... C'est une valeur sûre pour connaître l'extase : 80 % des femmes ont des orgasmes clitoridiens. Et pour tout savoir, foncez page 24.

4. Alternez longs et petits câlins : ça permet de varier les plaisirs et de re-titiller sa vie sexuelle sans perdre la main.

Nota bene
Évidemment, s'il existe un décalage majeur entre vous et qu'il devient problématique, il est peut-être temps de consulter un spécialiste (sexologue, thérapeute de couple...). **Car il ne faut surtout pas attendre que son couple se fissure définitivement pour agir.**

L'AVIS DE LA PRO, MARIANNE PAUTI
LA MASTURBATION FÉMININE

Le saviez-vous ?
60 % des femmes se masturbent.

Source : *Enquête sur la sexualité en France*, Nathalie Bajos et Michel Bozon, La Découverte.

POUR CERTAINES, LA MASTURBATION RESTE UNE PRATIQUE TABOUE

····▸ **Soit parce qu'elle l'a toujours été**, souvent en raison des interdits de l'éducation ou des répressions et des humiliations faites aux petites filles qui ne croyaient pas mal faire (elles ne faisaient pas mal d'ailleurs).

····▸ **Soit parce que la masturbation apparaît comme décalée et inappropriée quand on s'inscrit dans une « sexualité de couple ».** Beaucoup vivent la masturbation comme une pratique de célibataires et la considèrent comme un ersatz de sexualité, certaines la vivent dans la culpabilité, d'autres ont le sentiment de « tromper » leur partenaire.

MAIS REDONNONS SES LETTRES DE NOBLESSE À CE QUE JE PRÉFÈRE APPELER L'AUTO-ÉROTISME

En effet, c'est une partie de la sexualité (pourquoi devrait-on se limiter ?) et c'est celle qui vous appartient en propre. Elle sert à se faire plaisir, à faire fonctionner et développer son imaginaire érotique et ses fantasmes. Elle permet d'apprendre à se connaître, notamment parce qu'elle est libre du regard de l'autre (de la pudeur et du jugement) et qu'elle n'a pour but que soi-même sans avoir à se préoccuper du plaisir de l'autre. Quelle liberté !

JE NE ME MASTURBE JAMAIS. EST-CE NORMAL ?

Rien d'« anormal » à ne jamais se masturber, c'est juste se priver, se limiter dans sa sexualité. Alors, si ça ne fait pas encore partie de vos pratiques, essayez, vous n'avez rien à perdre.

MAIS ALORS COMMENT S'Y PRENDRE ?

···▷ **Absolument comme vous voulez.** Rien n'est interdit, personne ne vous regarde, personne ne vous juge. C'est votre intimité, votre jardin secret. Essayez de repérer les moments où vous ressentez de l'excitation sexuelle ou provoquez-la. Ça peut être votre imaginaire, des images ou des scénarios fantasmatiques, des livres (littérature érotique, BD), des films...

⸭ Mieux vaut être au calme avec du temps devant soi mais les situations un peu « dangereuses » peuvent aussi être très excitantes. Vous pouvez vous mettre nue ou pas. Vous pouvez vous regarder. Vous pouvez caresser votre corps, vos seins, exciter votre clitoris (qui aime qu'on le frotte) et explorer votre vagin (qui aime plus les pressions qu'on y exerce). Vous pouvez utiliser votre main, mais aussi vous frotter contre un coussin, par exemple. N'hésitez pas non plus à faire bouger votre corps. Vous pouvez vous servir de la douche, de lubrifiants, d'un godemiché ou, mieux, d'un vibro-masseur (succès assuré).

⸭ Ce qui est important, c'est de vous sentir libre et de varier les plaisirs. Vous ajouterez ainsi des cordes à votre arc et favorise-rez votre épanouissement sexuel.

« Hé ! Ne te moque pas
de la masturbation !
C'est faire l'amour avec
quelqu'un qu'on aime... »

Woody Allen, *Annie Hall*

MA LIBIDO EST EN BERNE.
EST-CE NORMAL ?

OUIIIIIIIIIIIII, c'est comme tout, la libido a ses jours avec et ses jours sans. Et cela n'a rien d'anormal. Le tout, c'est de ne pas s'ancrer dans du long terme sans sexualité épanouie.

Il existe plein de raisons qui expliquent que notre libido se fasse la malle de temps en temps.

✳ Le pire ennemi ? Le stress.

Et comme, malheureusement, on en est tous plus ou moins victimes à un moment ou à un autre, personne n'a une sexualité lisse et parfaite.
Et tant mieux. Car après une baisse de régime, on apprécie d'autant plus les pics d'extase.

Mais en plus du stress, on peut citer...

✳ LES COMPLEXES

Bah oui, quand on se sent grosse comme une baudruche, on n'a moins envie de s'exhiber en petite culotte à froufrou devant sa moitié. Et nous avons toutes des variations côté poids.

✳ LA FATIGUE

Certains soirs, on n'a qu'une envie : fermer le rideau et les écoutilles. On veut juste DOR-MIR. Et ce n'est pas un crime. On n'est pas née super-héros : alors, entre le boulot, les enfants, maman qui déprime, les copines qui m'en demandent trop et la bicoque à faire tourner, je deviens chèvre. Je n'ai donc pas envie de me lancer dans un câlin effréné.

✳ LES PETITS COUACS

Ambiance : j'ai une mycose qui me gratouille et qui m'irrite. Alors je n'ai pas forcément envie que mon homme vienne me rendre visite pour me laisser la cage en feu !

✳ LES PETITES TENSIONS DANS UN COUPLE

Certains arrivent à se réconcilier sur l'oreiller et d'autres pas du tout. Une prise de bec dans un couple peut entraîner un no man's land sexuel. Enfin temporaire, on l'espère ; sinon agissez et parlez-en.

✳ LES CHIFFRES QUI EN DISENT LONG...

✳ **72 % DES HOMMES ET 56 % DES FEMMES AFFIRMENT NE PAS CONSERVER LE MÊME DÉSIR SEXUEL LORSQU'ILS TRAVERSENT UNE PÉRIODE PROFESSIONNELLE DIFFICILE.**

⋯⋗ Donc rassurons-nous, tout le monde est dans la même barque. Que ce soit un changement de job, un boss psychopathe, la période du bilan annuel ou une phase de chômage, on est tous à la merci du « non merci » sexuel.

✳ **25 % DES HOMMES ET 46 % DES FEMMES SE DISENT SUJETS À DES BAISSES DE DÉSIR SEXUEL.**

⋯⋗ Ça veut dire que près de la moitié des femmes connaissent des chutes de libido... Ça fait quand même relativiser quand on est soi-même dans un mauvais *mood* sexuel. Donc pas de panique, mais, si la phase dure trop longtemps, on trouve des solutions en fonçant dans le chapitre « Je le rends fou de désir ».

« Toujours du plaisir n'est pas du plaisir. »

Voltaire, *Zadig ou la Destinée*

ET SI VOUS ÉTIEZ
FRAPPÉE PAR LE HSD ?

Derrière ce sigle se cache l'« **Hypoactive Sexual Desire** », autrement traduit, en français « Non, mon amour, pas ce soir ». **Ce manque d'appétit sexuel chronique foudroierait 1 femme mariée sur 3 et 1 mari sur 5.**

Sans compter qu'un tiers de ces couples n'auraient jamais de rapport sexuel. Enfin, c'est ce qu'affirment certaines études outre-Atlantique ainsi qu'une sexologue américaine, à l'origine du concept HSD.
Source : *Esprit Femme*, 2008.

> ⁂ En effet, de plus en plus de couples
> font de moins en moins l'amour.

Leur désir s'amenuise au fil du temps. Et il est désormais fréquent que les relations sexuelles de certains couples se raréfient (une fois par mois, voire moins).

> ⁂ Heureusement, le HSD n'est pas une fatalité !

Le désir, l'attirance physique, ça s'entretient et ça se cultive. Souvent, on se plaint d'un manque de piment dans notre histoire, alors qu'on est les premières fautives. Il n'y a rien de pire que rester passive face à une baisse de sa libido : si on y assiste les bras ballants en se plaignant, rien ne se passera...

ET QUAND JE VEUX
ME LANCER DANS UN BÉBÉ ?

✳ **1. N'HÉSITEZ PAS À CALER UN RENDEZ-VOUS « PRÉCONCEPTUEL » AVEC VOTRE GYNÉCO.**

Vous pourrez lui poser toutes les questions qui vous taraudent. Seule ou avec partenaire.

✳ **2. NOTEZ SYSTÉMATIQUEMENT LES DATES DE VOS RÈGLES.**

Vous pourrez ainsi calculer facilement vos cycles et en parler à votre médecin. L'ovulation dépend de la régularité et de la longueur d'un cycle. Elle a lieu 14 jours avant les règles suivantes. Ainsi, pour un cycle de 28 jours, l'ovulation tombera le 14e jour. Alors que si vous avez des cycles de 35 jours, elle aura lieu le 21e jour. Sachez qu'on calcule un cycle à partir du premier jour des règles.

> ✳ Attention, les jours fertiles d'une femme ont lieu trois jours avant et deux jours après l'ovulation.

C'est donc à ce moment-là qu'il faut faire du sexe pour mettre toutes les chances de votre côté. La fréquence idéale serait un jour sur deux parce que les rapports trop fréquents impliquent une concentration du sperme en spermatozoïde pas optimale pour une bonne fertilité.

✳ 3. REPÉREZ LA PÉRIODE DE GLAIRE CERVICALE.

Pas très glamour comme concept, mais terriblement efficace pour cibler les bons jours dans le mois, ceux où notre ovule est au taquet pour accueillir les spermatozoïdes.

Guettez la petite substance transparente, aqueuse et visqueuse qui coule (elle est en fait sécrétée par les cellules du col de l'utérus). Vous pouvez la repérer en allant aux toilettes : on a alors le sentiment que ça continue de couler alors qu'on a fini de faire pipi. On la sent clairement en s'essuyant.

Il s'agit de la **glaire préovulatoire qui apparaît généralement vers le 10e jour du cycle** (pour des cycles de 28 jours). On la reconnaît très facilement, il suffit d'être à l'écoute de son corps.

✳ 4. PENSEZ AUX TESTS D'OVULATION.

Le principe ? **Détecter la période où vous êtes la plus fertile.** Ce qui vous permettra de faire l'amour « au meilleur moment de votre cycle » et de mettre toutes les chances de votre côté pour avoir un enfant. Cela dit, il ne suffit pas de faire un câlin pile le bon jour pour se retrouver enceinte dans la foulée. Laissez-vous du temps.

Ça fonctionne comment ? Les tests d'ovulation repèrent une hormone (appelée LH) dont le taux s'accroît environ 36 heures avant l'ovulation. Donc si le test est positif, c'est que votre ovulation va avoir lieu dans 36 heures, c'est le moment de foncer pour les câlins : c'est pile à ce moment-là que ça peut marcher.

L'idéal, c'est de commencer les tests 3-4 jours avant l'ovulation supposée et, dès qu'il se révèle positif, ayez des rapports un jour sur deux... Sachez qu'on trouve ces tests en vente dans les pharmacies.

✳ 5. NE STRESSEZ PAS !

En général, quand on décide de faire un enfant, c'est qu'on est à bloc. On a trouvé le timing idéal pour se lancer dans un bébé ; on s'attend donc à être enceinte le mois d'après. Logique. Sauf que la nature peut prendre son temps...

Laissez-vous au moins un an de câlins au bon moment du cycle, avant de vous alarmer et de consulter un médecin. Et rappelez-vous qu'**on ne parle pas d'infertilité avant 18 mois infructueux.** Donc si, au bout de quatre mois de tentatives, vous n'attendez toujours pas d'enfant, ça n'a rien d'inquiétant.

> ✳ 70 % des couples attendent
> un enfant en moins d'un an.

Donc, sauf si vous avez des antécédents dans votre famille, plus de 35 ans ou de vraies inquiétudes, pas de panique si ça ne vient pas tout de suite. Et surtout, n'hésitez jamais à parler de vos craintes à votre gynéco : il est aussi là pour vous expliquer et vous rassurer.

Aloooors...
ta soirée
romantique ?...

Oh non non !
Je peux pas le
raconter, ça me
CHOQUE moi-même
de l'entendre !

JE LE RENDS
FOU DE DÉSIR...

TOUS LES TRUCS POUR
PIMENTER SA VIE SEXUELLE

« Ce que l'amour peut faire,
l'amour ose le tenter. »

William Shakespeare, *Roméo et Juliette*

Ce n'est pas en se reposant sur ses lauriers que notre vie sexuelle va s'épanouir.

✳ C'est comme tout dans la vie,
pour que ça pétille, il faut s'investir.

À vous de piocher dans cette liste non-exhaustive les idées qui vous vont bien...

1. Prévoyez des pique-niques ou des apéros sexy... Trouvez un endroit à l'abri des regards et laissez-vous aller à la tombée de la nuit. Finalement, il suffit d'un plaid, de quelques bricoles à grignoter et d'une bonne bouteille de vin ou de champagne. Pensez à prendre des photophores pour une ambiance ultraromantique.

2. Lisez en duo des poèmes érotiques, dès que ça vous chante. Ça titillera vos sens. Et pourquoi pas « Les bijoux » de Baudelaire ?

3. Invitez-vous dans sa douche ou son bain sans crier gare.

4. Envoyez-lui une invitation enflammée au bureau en ayant pris soin de brouiller votre écriture sur l'enveloppe. Évidemment, la missive ne sera faite que de propositions indécentes. Signez-la, histoire qu'il ne fantasme pas sur sa co-bureau pulpeuse en imaginant que ça vient d'elle…

5. Attendez-le nue sous votre imperméable, à la sortie de son bureau. Ça marche à tous les coups.

6. Oubliez de mettre un string sous votre robe quand vous allez dîner en tête à tête.

7. Rappelez-vous qu'« un baiser légal ne vaut jamais un baiser volé » (Maupassant). Profitez-en pour l'embrasser dès qu'il ne s'y attend pas.

8. Remplacez vos collants par des bas.

9. Laissez la porte de la salle de bains entrouverte pour qu'il croie voir vos courbes à votre insu…

10. Photocopiez quelques pages bien osées du Kama-sutra avant de les glisser sous vos oreillers. Choisissez, si possible, des positions que vous pourrez reproduire, histoire d'éviter un claquage du mollet ou un torticolis.

11. Quand vous vous sentez au top de votre forme (ou plutôt de vos formes), posez nue devant son objectif.

12. À la lumière du clair-obscur, attendez-le nue dans votre chambre. Vous serez allongée sur le côté pour mettre l'accent sur cette position « contrebasse » qui fait tant succomber les hommes.

13. Soyez culottée et faites broder un message coquin sur un de ses caleçons.

14. Calez-lui des parties de sexe torrides dans son agenda. Et inutile de faire des promesses si c'est pour ne pas les tenir.

15. Taillez votre buisson intime en forme de cœur. Sachez qu'il existe des tondeuses bikini vraiment précises.

16. Gardez en tête que les pics de désir sexuel ont lieu vers 15 heures et 20 heures. Tenez-vous prête...

17. Pour vos plateaux-télé, faites-vous livrer des sushis... Et, pour rendre cette soirée érotique et non pantouflarde, disposez les sushis directement sur votre corps. Évidemment, il les dévorera sans baguettes.

18. Essayez de mettre la main sur des sous-vêtements mangeables (il existe notamment des modèles en bonbons). Vous serez juste à croquer...

19. Sur les nappes en papier des restos, griffonnez-lui des envies coquines. Il ne vous reste plus qu'à zapper le dessert pour les assouvir plus rapidement.

20. Collez votre frimousse sur chaque héroïne sexy de la BD Largo Winch. Et sur chaque tête de Largo, collez la sienne.

21. Travaillez vos muscles vaginaux en les contractant (très simple : arrêtez le jet de votre pipi quand vous allez aux toilettes pendant plus de 4 secondes, au moins trois fois par jour). Ça lui fera des sensations folles au moment de la pénétration.

22. Remplacez chaque parole par un baiser lors d'un dîner en amoureux.

23. Offrez à votre moitié un massage dans un spa. De mèche avec la masseuse, vous prendrez le relais en cours de massage pour des fins plus coquines. Pour les quiches en massage sensuel, n'hésitez pas à prendre un cours ou deux, histoire de supporter la comparaison avec la pro.

24. Ajoutez des touches de déco rouge vif dans votre appart. Selon le Feng Shui, cette couleur dope l'appétit sexuel.

25. Prévoyez un carnet avec d'un côté « j'aime » et de l'autre « j'aime pas »... puis complétez-le à tour de rôle pour ne plus avoir de secret sur vos envies sexuelles.

26. Rejoignez-vous les 45 % d'Américains qui fantasment sur le sexe sucré ? Si oui, à vos pots de Nutella... (sondage paru dans *Time Out*).

27. Offrez-lui une bouteille de saint-amour (vin rouge de Bourgogne) avec toutes vos envies de sexe griffonnées sur l'étiquette.

28. Faites-vous plus de *french kiss*... C'est un sport de chambre miniature puisqu'il mobilise la moitié des nerfs crâniens et actionne 29 muscles en même temps.

29. Quand vous êtes sous la couette, jouez à « tu chauffes », « tu brûles », un moyen ludique de découvrir vos zones érogènes.

30. Selon une étude américaine, la transpiration masculine serait à l'origine d'un pic du taux de progestérone chez les femmes. Alors, messieurs, adieu la douche du soir !

31. Lancez-vous régulièrement dans des massages du cuir chevelu. Il doit y avoir tout plein de terminaisons nerveuses car les hommes y sont sensibles.

32. Déposez un peu d'huile de massage dans le creux de son nombril... puis massez-le lentement et sensuellement autour du nombril.

33. Plongez-vous dans *Les 11 000 Verges* d'Apollinaire. Le sexe littéraire a du bon...

34. Tirez à pile ou face pour savoir qui va être le maître du jeu sous la couette ce soir.

35. Faites votre propre étude de marché. Sortez des sentiers battus côté capotes en testant les phosphorescentes, les nervurées, les perlées, les parfumées ou encore celles qui permettent de retarder l'éjaculation...

36. N'oubliez pas les oreilles, les plis des bras et les creux des genoux comme zones érogènes...

37. Emparez-vous de son carnet de chèques et marquez à la place du montant « Bon pour une pipe ».

38. Pour tout savoir sur le baiser, foncez sur le site : http://membres.lycos.fr/baiser/index.html.

39. Glissez subrepticement de minuscules « j'ai envie de toi » dans ses chaussettes.

40. Mettez la main sur la sulfureuse chanson « Sodomy » de la comédie musicale Hair. Et laissez-vous embarquer par les paroles.

40. Sortez à tout-va vos décolletés pigeonnants.

42. Offrez-vous une visite de musée sensuelle. Le guide vous montrera les œuvres sous d'autres aspects. Vous découvrirez ainsi où se cachent les plus belles fesses du Louvre. www.vusouscetangle.net

43. Téléchargez le jeu Egg Invaders sur le site Internet www.durex.com. Le but ? Protéger vos ovules contre les attaques de spermatozoïdes conquérants... Trop rigolo.

44. Quand il est motivé pour aller faire les courses... donnez-lui la liste en rajoutant une petite rubrique à la fin « Et rien que pour notre plaisir » : chantilly, Nutella, fraises, bananes, asperges, huile d'amande douce et préservatifs spécial plaisir...

45. Quand vous êtes loin de lui, envoyez-lui une de vos petites culottes par la poste. Autant dire qu'il aura vite envie de vous retrouver.

À vous de compléter...

46.

47.

48.

49.

50.

LE NEC PLUS ULTRA
SUR LE NET...

Pas toujours facile de franchir la porte d'un sexy-shop ou de se retrouver face à une vendeuse d'articles coquins. On aime bien rester anonyme dans ce genre de quête. Pour autant, on ne veut pas se priver de bonus sexy glamour qui pourraient bien donner un coup de pop à notre sexualité.

✳ POUR FAIRE LE PLEIN D'ARTICLES FRIPONS...
✳ 1. WWW.YOBAPARIS.COM

Là, on est vraiment dans l'érotic chic... **Comment s'encanailler sans tomber dans le vulgaire et encore moins le sordide ?**

La sélection est top : culotte trop glamour à ruban noir... qui s'arrache sans ménagement (elle tient par deux petits aimants), une poudre parfumée à la pina colada pour se faire croquer toute crue (et toute nue aussi), la tapette coquine en forme de cœur ou encore les bijoux de peau à message (un petit mot en strass qu'on colle dans les recoins les plus indiscrets ; existe en trois modèles : Mmmmm, Oui ou Ici).

Évidemment, ils ont tout un panel de vibromasseurs et godemichés *so choc* avec des pouvoirs magiques (comme le modèle Gigi censé stimuler le point G) ou une boule de massage vibrante pour elle et lui... youpi.

On reste dans le même esprit avec ce site érotico-rigolo : la palette de ce qu'on y trouve est vraiment large et bien vue, comme cette bougie parfumée qui, en fondant, se transforme en huile de massage. Idéal pour pimenter vos fins de dîner aux chandelles.

Ce sont aussi les rois des kits, comme cette **Sex Box dédiée à des « préliminaires affolants »**. Tout est là pour stimuler votre plaisir : menottes en fourrure zébrée, huile de massage aphrodisiaque ou encore un minivibromasseur pour décoller à deux.

On y trouve enfin des **accessoires improbables et vraiment tentants** comme le « Déclic » : vous glissez un œuf vibrant au contact de vos zones les plus intimes. Et à n'importe quel moment, votre partenaire peut déclencher à distance des vibrations grâce à une télécommande de poche. Une complicité over sensuelle s'installe, sans que personne puisse s'en douter...

✳ 3. WWW.SECONDSEXE.COM

Sur ce site, on trouve un mix :

* **d'articles consacrés à la sexualité** (un topo sur l'histoire du corset, un dossier sur la libération sexuelle ou encore la présentation des dernières nouveautés des livres qui parlent sexe) ;

* **d'objets affriolants pour pimenter sa vie sous la couette.**
  Comme cette culotte fendue très osée... ;

* **de films érotiques et porno à télécharger**, ainsi classés : films
  porno réalisés par des femmes, films érotiques réalisés par des
  femmes, films érotiques réalisés par des artistes, films porno réalisés par des hommes et films SM au féminin (entre 4 et 15 euros).
  Histoire de voir sans avoir à s'humilier au vidéo-club.

✳ ET QUAND ON A DES QUESTIONS
  QU'ON N'OSE PAS POSER...

Allez faire un tour sur le site www.doctissimo.com (rubrique
Sexualité) : on y trouve une foule d'articles sur tous les sujets qui
tournent autour du sexe. Et pour ne pas se sentir seule, il existe
aussi des forums.

TÉMOIGNAGES : **ELLES NOUS RACONTENT COMMENT ELLES ONT REBOOSTÉ LEUR LIBIDO**

* « Moi, j'ai trouvé un moyen radical : **perdre les 6 kilos qui me pourrissaient ma vie sexuelle**. J'étais devenue ultrapudique, tellement mes bourrelets prenaient le dessus. Plus de tenues sexy, plus d'effleurements, je m'étais refermée comme une huître derrière mon surpoids.

Finalement, **ça m'a pris deux mois d'efforts, mais ça m'a changé la vie**. Mon homme voit la différence au quotidien et on se permet plein de libertés sous la couette que je ne nous accordais pas avant. J'aurais tellement dû me prendre en main plus tôt... »
Mathilde, 33 ans

* « Notre rythme sexuel s'était vraiment ralenti ces derniers mois. Du coup, j'ai lancé un échange érotique par mail avec Gilles. **Je lui envoyais des "j'ai envie que tu me fasses l'amour. Là, tout de suite, maintenant !" en plein après-midi de bureau.** En quelques secondes, mon homme est entré dans le jeu et les messages devenaient de plus en plus torrides. Il nous est même arrivé de nous retrouver chez nous à l'heure du déjeuner pour un câlin vite fait, bien fait. J'adore. »
Katia, 29 ans

* « Avec la naissance de notre petite fille, je n'avais plus une minute pour moi. Et encore moins pour mon copain. **J'étais devenue comme asexuée, et l'idée d'un câlin ne me venait plus à l'esprit.** Il a suffi d'un week-end en amoureux aux chandelles et au champagne pour reprendre goût aux caresses et aux mamours. Maintenant, c'est devenu une règle de vie : **on s'offre un week-end à deux tous les trois mois. Un remède miracle**. »
Chloé, 30 ans

* « Simplement en mettant cartes sur table avec Alex : **je lui ai expliqué clairement ce qui me faisait vriller dans un lit. Je n'avais jamais osé mettre de mots sur mes attentes.** Il en a profité pour me dévoiler ses envies. Et depuis, on est au top. C'est comme tout, le sexe, ça s'apprivoise. »
Daphné, 23 ans

* « **On avait toujours eu une sexualité pépère : on faisait souvent l'amour dans le noir, le samedi soir dans les mêmes positions.** Cette routine, rassurante au départ, était devenue pesante. Je voulais du fun, du fripon, de l'inattendu. C'est une de mes copines qui, en me racontant toutes ses péripéties sexuelles, m'a ouvert de nouveaux horizons.
Moi aussi, je voulais vivre des sensations fortes. Ça n'a pas été évident au début... Quand les choses sont installées, c'est difficile de changer les habitudes. J'ai persisté : **chaque fois, j'essayais d'insuffler un truc nouveau.** On a testé plein de lieux insolites pour nous – et notamment la salle de bains qu'on a explorée dans les

moindres recoins... Ça nous a fait un bien fou. J'ai l'impression de vivre une nouvelle histoire. »

Sibylle, 25 ans

* « **Sur un coup de tête, j'ai commandé des articles coquins sur Internet :** huile de massage érotique, lingerie affriolante et peinture corporelle à la fraise. On a pris ça pour un jeu au début, mais on est devenus addicts. **Ces artifices nous permettent de réapprivoiser nos corps et nos sensations.** »

Stéphanie, 21 ans

TOUS LES TRUCS
POUR DEVENIR UN BON COUP

✳ AYEZ CONFIANCE EN VOUS

Partez du principe qu'il est amoureux de vous. Et que, par défini-tion, il n'est pas objectif sur vos performances sexuelles : le moin-dre effleurement de votre part peut le faire décoller, simplement parce que vous le faites triper.

> ✳ Donc, on arrête de ne rien faire
> par peur de mal faire... et on ouvre les vannes.

✳ SOYEZ L'INITIATRICE DU PIMENT SEXUEL DANS VOTRE COUPLE

Et, pour trouver tout plein d'astuces pour l'émoustiller, foncez page 190.

✳ DEMANDEZ-LUI CE QU'IL AIME

✳ DEVENEZ LA REINE DES MASSAGES ÉROTIQUES

⋯⟩ **Utilisez tout plein d'accessoires :** pinceaux de maquillage, plumes, rubans, cheveux, ongles, langue... ça permettra de varier les sensations facilement.

⋯⋗ **Achetez une huile de massage :** il n'y a rien de pire que les doigts qui « grincent » sur la peau. Faites-la d'abord couler dans vos mains pour la réchauffer. Et pourquoi pas une huile parfumée, aphrodisiaque ou même comestible ? Coup de cœur pour l'huile antistress disponible sur le site www.commercequitable.com...

⋯⋗ **Créez la bonne ambiance :** débranchez le téléphone, choisissez une musique douce et sensuelle, fermez les rideaux et allumez les bougies. Et surtout, trouvez un moment où vous avez du temps : on évite les massages bâclés qui perdent toute sensualité.

⋯⋗ **Alternez pressions soutenues et légères.** Mixez aussi des moments de pression et de glissement : on appuie sur une zone précise avant de faire glisser ses mains jusqu'à la zone suivante.

⋯⋗ **Ne négligez aucune partie du corps :** de la tête aux orteils. Votre homme sera d'abord allongé sur le ventre, commencez par les jambes et les pieds, puis montez vers le dos. Sans oublier les fesses. Demandez-lui de se retourner et réattaquez-vous aux jambes côté face.

✳ DEVENEZ LA PRO DU STRIP-TEASE

Sachez qu'il existe des cours d'effeuillage à domicile. Parfait pour apprendre à enlever votre string sans l'accrocher dans vos talons aiguilles.

On vous rassure, les cours sont instructifs et surtout bon enfant (enfin, renseignez-vous bien avant pour savoir exactement comment ça se passe…) : **la « prof » vous donne une tenue à scratcher par-dessus vos vêtements et ce sont ceux-là qu'on va enlever langoureusement.** Donc on ne finit pas toute nue devant une totale inconnue. Pour que ce soit plus sympa (et moins cher !), faites-le entre copines.

Et pour celles qui ne veulent pas de cours théorique, **inspirez-vous du mythique strip-tease de *9 semaines et demie*.** N'oubliez pas de vous entortiller autour du fil du téléphone (sans vous étrangler).

www.allostrip.com
www.striptease-paris.com
www.bodytemptation.com

✳ DEVENEZ LA DÉESSE DU *POLE DANCE*

Cette discipline vraiment sexy se pratique avec une barre verticale en fer (*pole* en anglais), comme celle des rames de métro. Vous savez, on en voit souvent dans les films où **des bombes sexuelles en string à paillettes s'enroulent en apesanteur autour de cette barre, dans les clubs de strip-tease.**

En prenant des cours de *pole dance*, vous pourrez, quels que soient votre âge ou votre condition physique, apprendre ces figures de lianes sculpturales et vous entortiller gracieusement autour de ces poteaux sulfureux.

Pour plus d'infos, allez faire un tour sur www.artstrip-world.com.

L'AMOUR
EN VACANCES

Aucun doute : **on fait deux fois plus l'amour en vacances**. Soleil, détente et changement de rythme sont autant de facteurs propices au rapprochement des corps.

> ✳ Comme on a plus de temps,
> on prend plus de temps pour s'aimer.

✳ TOUTES LES BONNES TACTIQUES POUR FAIRE L'AMOUR EN VACANCES

* **Prendre un bain moussant à deux** et hop ! ça dérape.
* **Passer tous les jours par la case sieste...** qui peut vite devenir crapuleuse.
* **Commencer la journée par un petit déjeuner au lit** qui finit en une dépense calorique sensuelle.
* **Ne négliger aucun endroit propice aux câlins :** piscine, plage déserte, bateau, hammam, forêt, avion, voiture...
* **Ne pas oublier le créneau après massage.** On se sent tout détendus, c'est le meilleur moment pour mixer nos huiles essentielles. Et s'il n'y a pas de spa dans le coin, glissez un flacon d'huile de massage dans votre valise, histoire de vous masser en duo.
* **Rentrer de temps en temps tôt de la plage.** Juste pour ça.
* **Se coucher tôt.** Juste pour ça.

* **Inscrire les enfants à moult activités.** Histoire d'être tranquilles. Vous vous occupez d'eux toute l'année, ils seront trop contents de se faire des copains au miniclub, alors on ne culpabilise pas de les abandonner deux heures.
* **Être prêt à zapper une excursion.** Pour vous offrir une grasse mat' coquine.

✳ COMMENT BIEN FAIRE L'AMOUR ?
✳ DANS LA NATURE

⋯▷ **Choisissez un petit coin caché et cosy.** On évite évidemment les endroits épineux, avec des petites bêtes, humides... Attention aux périodes de chasse le week-end, ce serait dommage qu'on vous prenne pour un sanglier énervé.

⋯▷ **Portez une robe ou une jupe :** c'est tellement plus simple à gérer qu'un pantalon, surtout quand on entend des promeneurs qui s'approchent. Et pour émoustiller votre homme au plus haut point, oubliez de mettre une culotte...

⋯▷ **Prévoyez un plaid, une lampe torche (la nuit tombe vite), une bouteille de champagne** pour fêter ça et votre portable au cas où. Les plus prévoyants auront aussi une bombe antimoustique sous la main. On ne sait jamais...

✳ SUR UNE PLAGE

⋯⟩ **Sûrement un des cadres les plus romantiques.** Idéalement au soleil couchant. Ou dans la mer en pleine journée, ni vu ni connu. Ou en pleine nuit (enfin, pas en Bretagne, parce qu'on se les pèle). Les plus motivés prévoiront un sac de couchage pour s'endormir ensuite à la belle étoile.

⋯⟩ **Attention aux irritations** (sable + eau de mer, un cocktail qui peut vite gratouiller dans les endroits les plus intimes) : faites pipi juste après l'acte et rincez-vous bien à l'eau douce.

⋯⟩ **Pour être à l'abri des regards, mettez-vous dans le creux d'une dune ou derrière un rocher.** Évidemment, tout cela est valable hors vacances scolaires et dans les petites criques isolées.

✳ À LA MONTAGNE...

⋯⟩ **Testez l'amour en apesanteur dans une télécabine**, si vous êtes seuls et que le trajet est suffisamment long car, avec vos douze couches de pulls, tout devient plus compliqué.

⋯⟩ **On pense aussi à l'option coin du feu sur une peau de bête.** Après une bonne journée de ski et un petit verre de vin chaud, le contexte est idéal pour se laisser aller aux délices du craquement du feu. Et puis, on n'a rien trouvé de mieux pour faire passer une raclette...

On n'est pas là pour vous paniquer, mais faire l'amour dans un lieu public peut s'avérer risqué aux yeux de la loi.

D'après l'article 222-32 du Code pénal, les ébats sexuels dans les lieux publics peuvent être considérés comme de l'exhibitionnisme. Les peines que vous encourez peuvent alors aller jusqu'à 15 000 euros d'amende et un an d'emprisonnement. Enfin tout ça, c'est si les forces de l'ordre vous surprennent en flagrant délit et sont vraiment, mais alors vraiment mal lunées ce jour-là. Car les peines citées sont des maximums.

Cela dit, faites tout de même preuve de prudence quand vous décidez de vous encanailler en dehors de votre canapé.

Le saviez-vous ?

* 49 % des Français rêvent de faire l'amour en pleine nature.

* 27 % préfèrent le lit, 6 % la voiture, 5 % l'avion, 4 % les lieux publics, 4 % les lieux de travail.

Source : *Francoscopie 2007.*

TÉMOIGNAGES : 10 COUPLES NOUS RACONTENT L'ENDROIT LE PLUS INSOLITE DANS LEQUEL ILS ONT FAIT CRAC-BOUM-HUE

∗ « Bah, nous c'est facile... Le plus détonant, ça a été **une partie de sexe torride dans les toilettes pour dames d'Ikéa**. Sûrement provoqué par la fièvre d'avoir trouvé un nouveau canapé pour notre nid d'amour. Incroyable quand on pense qu'on avait piétiné quatre heures dans les rayons. »
Aurélie, 27 ans et Bruno, 32 ans

∗ « On avait 17 ans, c'était la découverte des sens. On est descendus dans le garage pour prendre une bouteille de coca. Et on est revenus vingt minutes plus tard, dans le salon où toute la smala nous attendait... après avoir étrenné un câlin fou : **sur le capot de la voiture familiale**. On n'a jamais su si on avait été grillés. »
Louisa, 23 ans et Kamal, 23 ans

∗ « **Au cinéma, à la séance de 11 heures...** Idéal pour démarrer son dimanche du bon pied. On a commencé par des caresses soft, puis j'ai fini sur ses genoux. Autant vous dire que je ne me souviens absolument pas du scénario mais je peux vous assurer que la bande originale était super enivrante. »
Jennifer, 26 ans et Ludovic, 25 ans

* « On adore les vacances baroudes… L'été dernier, on est partis en Thaïlande. Et lors d'un trek en montagne, on s'est retrouvés seuls au monde. Le guide était blotti dans son sac de couchage et on en a profité pour partir à l'aventure. On n'en pouvait plus : ça faisait trois nuits qu'on dormait avec notre guide et donc trois nuits d'abstinence. À 100 mètres de là, **on s'est retrouvés près d'une petite cascade, on a atteint l'orgasme comme jamais**… Le tout à la lumière de la lune. Mémorable. »
Fiona, 29 ans et Vincent, 31 ans

* « **Nous, c'était à la fraîche dans un champ de blé…** En plein été. On en garde un souvenir idyllique. À l'abri de tous les regards et pourtant en plein soleil. Le tout avec la peur d'être pris la main dans le sac. »
Lola, 20 ans et Vivien, 21 ans

* « On a fait vraiment fort. De l'adrénaline en barre puisque notre séance la plus folle a eu lieu **dans un train fantôme**. En plein milieu de l'attraction, on est sortis de la nacelle pour assouvir nos envies derrière le décor. Au milieu des bruits de fantôme et des cris des enfants. À refaire. Mais le plus délicat a été de retrouver une nacelle vide pour ressortir dignement. »
Aglaé, 22 ans et Thibault, 27 ans

* « Semaine de détente à Djerba. **Seuls dans le hammam.** On vous laisse deviner la suite… »
Vanessa, 22 ans et Timothée, 25 ans

∗ « Mon homme est agent immobilier. Un soir, il m'a fait la surprise de m'emmener **dîner aux chandelles dans un loft avec une terrasse incroyable donnant sur la tour Eiffel**. Tout ça dans le dos de son boss, il avait le trousseau de clés, prétextant une visite tôt le lendemain matin. Waouhhh. »
Virginie, 29 ans et Martin, 36 ans

∗ « On avait très envie l'un de l'autre. Du coup, **il m'a retrouvée dans le parking de mon bureau pour un petit quicky sur la banquette arrière** à l'heure du déj. »
Odile, 24 ans et Wilfried, 27 ans

∗ « Un soir, en rentrant un peu pompettes, on n'a même pas réussi à attendre d'être chez nous… **et ça a fini dans l'escalier de l'immeuble**. Heureusement qu'on n'habite pas dans un quartier trop animé, sinon, on risquait vraiment gros ! »
Sophie, 28 ans et Mathias, 28 ans

LE KAMA-SUTRA
POUR CELLES QUI VEULENT UN COURS DE RATTRAPAGE

⁂ Halte aux idées reçues, le Kama-sutra, ce n'est pas qu'un panel de positions toutes plus coquines les unes que les autres.

En fait, le Kama-sutra, **c'est un traité indien écrit par le brahmane Vatsyayana qui révèle toutes les facettes de l'amour.** Cela vient de « Kâma » qui signifie « amour, sensualité », et de « Sûtra », qui veut dire « traité, recueil ».

La partie érotique pure et dure (avec les fameux dessins qu'on a regardés sous toutes les coutures pour comprendre comment ça marche et dans quel sens) **ne représente qu'un seul livre sur les 7, soit 5 pages sur 250 environ...** C'est dire s'il faut relativiser.

En effet, en Occident, on n'a bien souvent accès qu'à la partie « pornographique » et non au reste.

Dans le Kama-sutra, on trouve notamment des conseils pour éveiller tous ses sens, apprendre à réussir griffures et mordillages, la fellation évidemment, mais aussi séduire au quotidien, garder son conjoint... **Un véritable livre d'éducation sexuelle, écrit... aux alentours de l'an 500** !

✳ CE TRAITÉ CHERCHE AUSSI À MONTRER LES MEILLEURES UNIONS SEXUELLES POSSIBLES ENTRE DEUX ÊTRES

Un couple ayant des organes génitaux de la même taille (l'auteur distingue trois catégories pour chaque sexe : lièvre, taureau et cheval pour les hommes/biche, jument et éléphante pour les femmes), ainsi qu'un même potentiel amoureux (petit, moyen ou intense) aura toutes les chances d'être épanoui et de se donner du plaisir mutuellement.

✳ SOUVENT, LE KAMA-SUTRA NOUS COLLE LA PRESSION...

On a le sentiment de ne pas être assez fantaisistes et innovants sous la couette. Eh bien, rassurons-nous, les trois statistiques qui suivent nous montrent bien que les positions classiques ont la cote.

> ✳ On n'a pas besoin de faire le carambar dans un lit pour être épanoui.

* **Seulement 5 % des couples font régulièrement l'amour dans plus de 20 positions.**

* **Le nombre de positions régulièrement utilisées par la majorité des couples va de 2 à 5.**

* La position la plus souvent pratiquée est l'homme au-dessus, la femme dessous (65 %), devant la position inverse (39 %).

Source : *Encore plus de sexe*, Tracey Cox, Marabout.

 Ce ne sont pas les couples qui testent toutes les positions qui sont les plus épanouis.

Ils peuvent l'être, mais un couple qui fait l'amour toujours de la même façon peut aussi être heureux. Ouf !

ET AVEC DES ENFANTS,
ON FAIT COMMENT ?

Passer de l'état d'amants à celui de parents chamboule la sexualité d'un couple. D'un duo peinard, où on ne fait qu'écouter ses envies et y céder, on passe à un trio fabuleux mais mouvementé.

✳ ALORS COMMENT CASER DES CÂLINS DANS UNE VIE DE FAMILLE ?

* **Arrêtez de vous cacher derrière cet argument** pour justifier votre piteuse libido.

* **Prenez soin de vous pendant la grossesse et après.** Dès les premiers mois de la grossesse, tartinez-vous de crèmes ultranourrissantes et antivergetures pour éviter les catastrophes naturelles. On vous l'assure, ça marche même sur les peaux fragiles quand on est bien disciplinée.

* **Apprenez à confier vos enfants.** Non, vous n'êtes pas de mauvais parents parce que vous les « abandonnez » un après-midi. Les enfants aussi sont ravis de prendre de petites bouffées d'oxygène et d'aller voir comment ça se passe ailleurs.

* **Partez une semaine (ou un long week-end) par an, tous les deux.** En cassant le rythme quotidien, vous retrouverez plus facilement votre complicité d'avant. Loin des enfants et des cris du matin, vous aurez le temps de prendre soin l'un de l'autre. C'est aussi en cultivant son couple que l'on forge une super famille.

* **Acceptez l'aide extérieure.** Si des amis vous proposent de garder vos enfants (et que vous avez confiance en eux !), dites oui... Il sera toujours temps de leur rendre la pareille, c'est un échange de bons procédés.

* **Couchez vos enfants à une heure fixe.** Réservez le reste de la soirée pour vous. Et n'ayez pas le réflexe bête et méchant de la télé allumée : en dînant en tête à tête de temps en temps, on peut se dire tout ce qu'on n'a pas eu le temps de partager avant et surtout on peut finir la soirée en *happy end* sexuel.

* **Apprenez à vos enfants à toquer à la porte.** C'est votre chambre, donc votre intimité. Et fermez la porte à clef quand vous faites l'amour.

* **Quoi qu'il arrive, gardez un contact physique :** pas besoin de faire des galipettes comme des bêtes... Usez et abusez de papouilles, caresses, bisous. Ça aussi, ça fait partie du folklore sexuel.

* **Couchez-vous plus tôt pour avoir le temps de faire l'amour !**

« Le foin n'a pas la même odeur pour les chevaux et pour les amoureux. »

Stanislaw Jerzy Lec, *Nouvelles pensées échevelées*

Pour nous aider à parler de sexe plus librement, je vais te <u>MIMER</u> ce que j'aurais envie de te dire à propos de notre vie sexuelle :

SEXE ET COMMUNICATION...

« Parler d'amour,
c'est faire l'amour. »

Honoré de Balzac , *Philosophie du mariage*

ÇA, JE N'ARRIVE PAS À LE LUI DIRE...

> « Ne pas parler de sexualité, c'est...
> ne pas parler de soi. »
>
> Michel Conte, *Nu... comme dans nuage*

* **« Qu'il se plante d'endroit quand il pense que c'est mon clitoris...** J'ai déjà de la chance parce que mon homme cherche à me faire plaisir et ne rechigne pas à faire des câlins du bas. Mais comme ça tape juste à côté, je n'arrive pas à prendre mon pied. En même temps, je me comprends, c'est un message vraiment délicat à faire avaler... »
Anna, 27 ans

* **« Que je n'ai jamais eu d'orgasme de ma vie.** Que ce soit avec lui ou avec un de mes ex. Quand je fais l'amour, c'est toujours agréable, mais jamais formidable. Et d'après ce que disent mes copines, quand on décroche un orgasme, on a juste envie de s'évanouir de bonheur... Du coup, je ne vous cache pas que je simule de temps en temps. »
Saskia, 24 ans

* **« Que les préliminaires ne sont pas assez longs.** J'aimerais pouvoir lui dire simplement que j'ai besoin de papouilles, de baisers, de mordillages pour bien me préparer avant l'acte proprement dit. »
Gaya, 26 ans

* « **Que son haleine de croquette du matin me coupe toute envie.** Pourtant, je prends sur moi car je trouve ça méchant de mettre l'accent dessus. »
Agathe, 30 ans

* « **Que je ne supporte pas l'idée que sa mère ait la clé de notre appartement.** Comme elle habite au-dessus, elle a tendance à descendre dès que ça lui chante. Et moi, ça me bloque quand on se lance dans une partie de sexe. J'ai peur qu'elle nous surprenne. En même temps, il est tellement fusionnel avec môman que c'est difficile à formuler. »
Déborah, 31 ans

* « **Que je n'aime pas ses mots crus pendant l'amour.** C'est son moyen à lui de vivre un truc sexuel et trépidant... Mais moi, qu'il m'appelle "mon petit cul", ça me flatte mais avant tout ça me gêne. »
Lydie, 29 ans

* « **Que j'aimerais faire l'amour ailleurs que dans un lit.** Nos ébats sont beaucoup trop routiniers ; je sais que c'est aussi de ma faute mais je suis trop timide pour inverser la vapeur. Je rêve qu'il me saute dessus dans mon bain, dans l'ascenseur ou dans la voiture. Histoire qu'on se retrouve loin de notre tralala. »
Dorothée, 25 ans

* « **Qu'il arrête de malaxer mes fesses comme de la pâte à tarte** quand on fait crac-crac. Ça fait mal. »
Iris, 19 ans

SAVEZ-VOUS PARLER SEXE ?

Ouh la la, voilà un sujet des plus délicats... Ça ne s'apprend pas dans les manuels, et pourtant, on a tous besoin un jour ou l'autre de faire passer un message à son amant. Pour lui dire qu'on aimerait différemment, qu'on adorerait tester ça, que ça ne va plus et qu'il faut trouver des solutions, qu'il est égoïste sous la couette et que nous aussi, on existe.

✳ **OR, LE PROBLÈME MAJEUR,
   C'EST QU'ON A PEUR DE :**

* mettre des mots sur tous ces ressentis ;
* casser la magie où chaque chose devrait être spontanée, fluide et extasiante ;
* le bloquer sexuellement ;
* le vexer ;
* son regard ;
* mettre le doigt là où ça fait mal et que ça soulève d'autres sujets houleux ;
* entendre ses quatre vérités en retour.

En même temps, vous avez tout à y gagner car c'est en parlant que l'on dénoue les tabous et que l'on avance sereinement dans le long terme.

✳ LES 3 CONSEILS DE BONNE COPINE

····⫶ **N'attendez pas un point de non-retour pour vous exprimer...**
Le moment où vous n'en pouvez plus de lui, de sa façon de faire et de tous les non-dits qui entourent votre sexualité.

Car premièrement, le pauvre, vous le prenez en traître ; il n'aura même pas le temps d'essayer de rectifier le tir que vous serez déjà en train de l'assassiner ; deuxièmement, quand on attend trop longtemps, le message devient vraiment violent.

····⫶ **Dites-vous qu'un problème (quel qu'il soit) vient toujours des deux partenaires.** Soit il y a en un qui abdique quand l'autre gouverne, soit les deux font la politique de l'autruche... Donc, quand vous abordez le sujet, ne l'accablez pas en rejetant toute la faute sur lui. Soyez constructive et prête à vous remettre en cause aussi.

····⫶ **Relativisez.** Personne n'a tous les jours une sexualité parfaite. Même ceux qui prétendent le contraire. On passe tous par des phases de *up and down* surtout quand il s'agit de sexe.

Comme il y a une dictature ambiante de la « sexualité tripante et parfaite », on a l'impression d'être moins en harmonie que les autres couples. Mais nous sommes toutes confrontées à la nécessité de faire de nombreux ajustements. Donc on arrête de faire son Calimero, nous ne sommes pas un cas isolé. Parfois, c'est moins bien et ce n'est pas grave...

✳ LES CHIFFRES QUI EN DISENT LONG...

✳ 61 % DES HOMMES PENSENT SOUVENT À LA SEXUALITÉ ET EN PARLENT ASSEZ FACILEMENT, CONTRE 35 % DES FEMMES

Comme quoi, nous les femmes, on a vraiment tout à gagner à délier nos langues. Car les hommes sont souvent plus réceptifs aux messages sexuels qu'on ne le pense. Finalement, si on a du mal à parler sexe, c'est peut-être parce que ça nous gêne... On n'a pas dit que c'était facile. Mais ça vaut le coup.

✳ SEULE 1 PERSONNE SUR 3 OSE PARLER D'UN PROBLÈME SEXUEL PERSONNEL À UN MÉDECIN

Ça en fait quand même les deux tiers qui gardent leurs petits tracas pour eux. Et c'est dommage. Car si le problème est traité à temps, il y a moins de dégât. Et les spécialistes sont les personnes clés pour aider à régler un problème majeur, qu'il soit technique (gynécologue pour les femmes et urologue pour les hommes) ou psychologique (sexologue, thérapeute de couple, psychologue ou psychothérapeute...).

✳ 11 % DES FEMMES CITENT LES GRANDS DISCOURS APRÈS L'ACTE COMME TUE-L'AMOUR CHEZ LEUR PARTENAIRE

C'est sûr que le « Alors, heureuse ?! » nous laisse perplexes. Si c'est juste pour glaner quelques compliments après l'acte, ça ne sert à rien. En revanche, si c'est pour une discussion constructive, pourquoi pas ? Cela dit, vous pouvez aussi en parler à froid quand vous le sentez.

L'AVIS DE LA PRO, MARIANNE PAUTI
COMMENT FAIRE PASSER UN MESSAGE SOUS LA COUETTE ?

Il est toujours délicat, quand on rencontre une difficulté sexuelle, d'en parler, mais c'est nécessaire. Surtout ne laissez pas pourrir les problèmes, c'est bien pire que de dire ce que l'on a sur le cœur. De toute façon, si vous ne dites rien, il est peu probable que ça s'arrange tout seul.

Ensuite, il faut trouver le meilleur moment et la meilleure façon de dire les choses sans froisser la susceptibilité de l'autre.

⋯⋗ **Il n'y a pas de recettes en la matière, mais voici quelques conseils :**

ÉVITEZ D'ACCUSER VOTRE PARTENAIRE ET DE LE CULPABILISER.

En matière de communication, il vaut toujours mieux parler de ce que l'on éprouve soi-même plutôt que de faire des reproches à l'autre. Par exemple, ne dites pas : « C'est toujours la même chose, tu ne m'attends jamais pour jouir », mais dites plutôt : « J'aimerais pouvoir jouir avant toi afin de pouvoir te voir jouir après. » Ainsi, vous parlez de votre ressenti et vous faites passer votre message sans que votre partenaire ne se sente accusé ni agressé.

UTILISEZ LE « LANGAGE NON VERBAL ».
Il est souvent plus facile de montrer les choses plutôt que de les dire.

SOYEZ POSITIVE.
Dites que c'était bien. Parlez de ce que vous avez aimé. Il sera plus aisé ensuite de parler aussi de ce qui va moins bien. Évitez à tout prix que la communication sur la sexualité se résume à parler uniquement de ce qui ne va pas !

CHOISISSEZ LE MOMENT OPPORTUN.
Après une relation sexuelle heureuse, le moment est souvent propice. On est alors détendu, serein et enclin à parler de sexualité.

OUVREZ-VOUS À L'AUTRE SUR VOS DÉSIRS, CE QUE VOUS AVEZ ENVIE DE LUI FAIRE OU QU'IL VOUS FASSE.
N'ayez pas peur de le choquer, ça n'arrive jamais. Au contraire, c'est très excitant et gratifiant de se savoir l'objet du désir de l'autre. Et c'est très sexy, une femme « libérée ».

L'AVIS DE LA PRO, MARIANNE PAUTI
FAUT-IL TOUT DIRE EN AMOUR ?

SÛREMENT PAS !

Rien n'est plus indispensable que de savoir ménager son jardin secret. On croit souvent parce que l'on est amoureux que :

* l'on doit être totalement transparent l'un pour l'autre ;
* rien ne doit être « caché » ;
* c'est une preuve d'amour que de pouvoir tout dévoiler à celui qu'on aime.

Parfois même, on en vient à culpabiliser de ne pas tout dire ou à penser que l'autre nous trahit s'il ne nous dit pas tout.

Mais d'une part, tout n'est pas bon à dire, et, d'autre part, il est essentiel de ne pas tout dévoiler de son intimité et de conserver pour l'autre une part de mystère.

TOUT N'EST PAS BON À DIRE...

Il est désagréable et blessant de s'entendre dire que son ex faisait mieux ci ou ça !

✳ Chaque couple a ses particularités propres et les comparaisons sont inutiles.

Il vaut mieux découvrir, développer, apprendre, se perfectionner ensemble plutôt que de rester fixé sur une expérience passée.

Beaucoup se demandent s'il faut partager ses fantasmes. Pas toujours. Si fantasme veut dire envie inexprimée de partager une expérience nouvelle, alors oui, c'est important de le dire à l'autre pour qu'il accepte et parce qu'une envie neuve et différente, c'est très excitant. Mais les fantasmes, ce sont aussi les scénarios qui servent à votre excitation sexuelle et ça peut être décalé et choquant pour l'autre. Ceux-là, gardez-les pour vous, au plus intime de vous-même, ils vous appartiennent.

Enfin, on a tous des travers dont on n'est pas forcément fier. Pourquoi se sentir obligé d'en parler ? Ce n'est pas forcément très glamour !

MAIS IL Y A CERTAINES CHOSES QU'IL FAUT SAVOIR DIRE EN MATIÈRE DE SEXUALITÉ.

À commencer par apprendre à dire ce que l'on aime et ce que l'on a apprécié, parce qu'il est bon que l'autre le sache et que c'est agréable

Oh oui oh oui
mon amour
c'est merveilleux
je n'ai jamais rien
connu de tel.

de se l'entendre dire. N'attendez pas le : « Alors, heureuse ? » pour le lui dire. Comme ça, votre sexualité ne se résumera pas à évoquer les problèmes. Ça en ferait vite un sujet tabou.

Il faut aussi, même si parfois on marche sur des œufs, dire ce que l'on n'aime pas et ce qui ne va pas. C'est aussi comme ça que la sexualité dans un couple s'améliore.

Il faut arrêter de penser que, parce que l'on est amoureux, on sait tout et on comprend tout de l'autre, sans avoir à parler.

⋯⟶ **Parler, communiquer, se dire les choses reste le meilleur moyen d'éviter les méprises, les non-dits et d'en vouloir à l'autre qui n'a pas su nous comprendre, alors qu'on n'a pas su lui dire.**

Enfin, garder une part de mystère fait partie de la séduction et de l'excitation. Si l'on connaît tout de l'autre, il ne reste plus de place pour la nouveauté, la découverte, l'étonnement... et le désir. S'il sait tout de vous, il n'a plus rien à attendre.

AÏE, ON EST
SEX-LAGS !

Vous connaissiez sûrement le jet-lag (décalage horaire) ; eh bien, sachez qu'il existe aussi le **sex-lag : décalage horaire d'envies sexuelles dans un couple.** Quand miss est du soir, et monsieur du matin, ça peut vite devenir problématique pour trouver le *timing* idéal. Car, bien souvent, on n'a pas les mêmes envies au même moment.

✳ AU DÉBUT D'UNE IDYLLE, PAS DE PROBLÈME

De toute façon, on a envie de faire l'amour tout le temps... Tous les créneaux horaires sont bons à prendre et, surtout, on n'a pas encore d'habitudes (sexuelles) de couple. Mais une fois qu'une relation s'installe dans le temps, chacun s'affirme et s'écoute plus. Les deux doivent alors faire preuve de flexibilité pour que leur harmonie sexuelle perdure.

Le saviez-vous ?

Pour 36 % des Français, le moment le plus agréable pour faire l'amour est le soir en se couchant.

20 % des Français estiment que tous les moments sont bons. 46 % aimeraient être plus libres de choisir.

✳ COMMENT BIEN VIVRE UN SEX-LAG ?

✳ BREVETEZ LES SIESTES CRAPULEUSES

Ça évitera le débat « plutôt le soir ou plutôt le matin »... D'autant plus que, si 8 % des Français préfèrent plus que tout faire l'amour à l'heure de la sieste, ce chiffre passe à 20 % quand on ne s'adresse qu'aux femmes. Il y a un créneau à exploiter, on vous l'assure.

✳ ET SI VOUS PRENIEZ VOTRE SEX-LAG POUR UNE OPPORTUNITÉ ?

Il adore les petits câlins rapides d'avant-bureau... Vous préférez le romantisme d'une soirée à deux où on a plus de temps devant soi. **Et si vous faisiez un mix des deux, vous feriez deux fois plus l'amour. Ne dressez pas vos préférences contre les siennes, cumulez-les !**

Puisque vous êtes du soir et lui du matin, vous pensez que vous n'êtes peut-être pas faits l'un pour l'autre ? Le raccourci est trop vite fait. Arrêtons avec ces idées reçues : **un couple n'est pas obligé de se calquer sur le même rythme pour se prouver qu'il s'aime**, alors qu'on est tentés de tout faire pour se lever et se coucher en même temps... Ça fait couple fusionnel et heureux dans notre tête.

Mais il faut accepter les différences « temporelles » d'un couple : certains ont besoin de plus d'heures de sommeil, certains se lèvent tellement tôt qu'ils n'ont pas d'autres choix que de se coucher tôt, certains n'arrivent pas à dormir avant 2 heures du matin, donc traînassent avant d'aller au lit...

Autant de cas de figure qui ne sont pas faciles à gérer dans un couple : **apprenez à vivre à votre rythme et à accepter le rythme de l'autre.** Ce qui ne vous empêchera pas par moments de vous coucher et de vous réveiller en même temps.

✳ La bonne attitude ?
Dissociez vos parties de sexe des phases
de sommeil : pas besoin d'attendre
le moment où vous allez vous coucher
pour vous lancer dans un câlin.

COMMENT CHANGER
LES HABITUDES D'UN COUPLE ?

✳ COMMENT INTRODUIRE DE LA NOUVEAUTÉ ?

On pense souvent que les habitudes posées dès le départ restent figées dans le marbre. Heureusement, c'est faux. La vie sexuelle est mouvante... Donc dites-vous que vous avez toutes les cartes en main pour passer de l'éternel missionnaire à des positions beaucoup plus exotiques.

Au début d'une relation, il y a deux écoles :

✳ 1. SOIT ON EST TOTALEMENT HAPPÉS PAR LE DÉSIR ET ON SE SENT PRÊTE POUR TOUTES LES CABRIOLES POSSIBLES

Les premiers mois sont effervescents d'amour, de sexe et de sensualité. Pas besoin de nouveauté là-dedans car, tous les jours, c'est un nouveau feu d'artifice. En revanche, on note souvent une baisse de régime par la suite.

La solution
Il faut alors retrouver la vigueur des prémices.

Voici quelques astuces :

* Rentrez plus tôt du bureau pour lui concocter une soirée *hot* : jolie lingerie, bain aux bougies et dîner aux chandelles.

* Prenez soin de vous : il n'y a rien de mieux pour rester désirable dans les yeux de son homme. En plus, vous vous sentirez plus entreprenante en étant bien dans vos talons.

* Quand il fait un pas sexuel vers vous, ne le repoussez surtout pas. Au contraire, entrez dans le jeu : même si le moment choisi ne vous paraît pas le plus opportun, laissez-vous aller et vous serez la première à être récupérée par cette vague de plaisir.

* Prenez des initiatives en lui montrant que, là, vous avez envie de lui.

✳ 2. SOIT ON SE RACCROCHE À DES CHOSES (SEXUELLES) CONNUES

On préfère rester dans ce qu'on maîtrise pour se rassurer et éviter d'avoir peur de mal faire. Une fois que c'est un acquis, on a alors envie de passer à la vitesse supérieure ; mais on a peur de rester coincée dans ce qu'on a instauré.

La solution
C'est à ce moment précis qu'il faut insuffler de la nouveauté.

* Expérimentez ce qui vous tente sexuellement : essayez de trouver mentalement ce qui vous ferait envie, ce que vous souhaitez découvrir, puis lancez-vous.

* Faites-lui faire une cure de zinc... c'est réputé pour réveiller la libido.

* Planifiez des vacances, juste tous les deux : lâchez vos potes, vos familles. C'est vrai que, quand on passe ses vacances dans la

maison des beaux-parents, ce n'est pas le même trip sexuel qu'une escapade romantique à Naples.

Si vous sentez qu'il est réticent face à vos avances, essayez de lui en parler calmement et avec douceur : il faut lui expliquer claire-ment que vous avez envie d'un vent de fraîcheur et que la sexualité plan-plan ne vous convient plus.

> **« On meurt moins vite du manque**
> **d'affection que du manque de nourriture**
> **mais on en meurt autant. »**
>
> David Servan-Schreiber, *Guérir*

LA SIMULATION,
ÇA PEUT AVOIR DU BON

On vous voit sauter au plafond en lisant cette phrase. Vous pensez : « Qui dit simuler, dit tricher, dit ne pas être amoureux de son partenaire, dit le trahir. » Et puis, de toute façon, **pas besoin de simuler car, quand on est en osmose sexuelle avec son homme, le sexe, c'est naturellement tripant.**

Oui, oui... sauf que, dans la vraie vie, un brin de simulation de temps en temps peut faire du bien à un couple.

Imaginez-vous avoir passé l'après-midi en cuisine et que votre plat soit raté : mieux vaut un homme qui vous dit « hummm, c'est délicieux » même si c'est un petit mensonge, plutôt que « ouais, c'est vrai, c'est dégueu... de toute façon, tu as toujours été une mauvaise cuisinière ».

Eh bien, dans un lit, c'est pareil : certains câlins nous laissent plus insensible que d'autres.

* On a la tête ailleurs, donc on a du mal à se concentrer sur son plaisir ;
* on ne s'attendait pas à un câlin là, comme ça, alors on n'est pas bien échauffée et pas dans le mood ;
* ou encore on est pris par le temps (nos beaux-parents nous attendent pour le gigot du dimanche), donc ça nous stresse et empêche le plaisir de monter.

Autant de minicontrariétés qui enraient le plaisir. Eh bien, si vous pratiquez la politique du « pas de son, pas d'image » à ce moment-là en restant figée et froide comme un glaçon, votre partenaire en prendra pour son grade. Il se démotivera (et on le comprend) et hop ! un câlin raté. **Alors que, en « simulant », c'est-à-dire en grossissant le trait du plaisir ressenti, vous lui donnerez du cœur à l'ouvrage.** Et tout deviendra plus fluide et plus léger sous la couette. Et c'est en boostant le rapport sexuel que vous vous retrouverez prise à votre propre jeu.

C'est un cercle vertueux : votre homme voit que vous prenez du plaisir (gémissements, expressions corporelles de désir...), il a envie de vous en donner encore plus ; du coup, ça marche et vous vous retrouvez à fond dans cet ébat.

Donc, un petit « hummm » pour lui indiquer qu'on est bien et qu'on aimerait que ça continue (même si on n'est pas encore au top de notre plaisir), on est super pour. **Mais on n'est pas en train de vous dire de pousser des cris de hyène en chaleur au moindre effleurement.** Parce que ça, c'est pathétique. Et vous méritez mieux sexuellement : si les rapports sexuels ne sont jamais agréables, affrontez le problème.

> ✳ On parle ici de simulation en tant
> que booster d'énergie sexuelle.
> Il faut prendre ça pour un catalyseur et non
> un mensonge éhonté sur notre ressenti.

L'AVIS DE LA PRO, MARIANNE PAUTI
COMMENT GÉRER
LE « NON, PAS CE SOIR... »

ON A TOUS DES MOMENTS DE BAISSE DE RÉGIME.
Chacun d'entre nous mène une vie très (trop ?) remplie de stress, de fatigue, de milliers de chose à faire, d'enfants, de difficultés professionnelles, de soucis familiaux... Alors évidemment, à certains moments, la sexualité en pâtit. Elle passe en dernier. Ça nous arrive à tous.

MAIS ATTENTION, SOYEZ VIGILANTE. TOUTES CES CHOSES DE LA VIE QUI VOUS EMPÊCHENT DE TROUVER LE MOYEN DE FAIRE L'AMOUR NE SONT-ELLES PAS DES ALIBIS ?
Il est plus facile de remplir sa vie, de ne jamais avoir de temps et de ne plus avoir d'énergie le moment venu que de se poser de vraies questions sur l'état de sa sexualité. Les vacances sont souvent un bon test. Si vous réussissez à retrouver un bon élan sexuel pendant cette période, alors essayez de remettre un peu en question votre mode de vie quotidien pour réserver plus de place à votre couple et à votre sexualité. Dans le cas contraire, il peut être utile de vous interroger sur votre vie sexuelle.

IL N'EN RESTE PAS MOINS QUE, CERTAINS JOURS, ON N'EN A VRAIMENT PAS ENVIE.

Si ça n'est pas systématique, il faut apprendre à le dire avec beaucoup de naturel et ne pas se trouver des excuses à la noix qui sont bien pires que la simple vérité. Les fausses excuses, qui ne trompent personne, sont une porte que l'on ferme à toute communication.

Ne vous forcez pas si vraiment vous n'en avez pas du tout envie. Vous risqueriez de vous en vouloir et d'abîmer votre sexualité. En revanche, parfois « l'appétit vient en mangeant » et un câlin peut tout à fait faire naître une envie que l'on ne croyait pas possible. Réciproquement, sachez comprendre votre homme et respecter son manque d'envie certains soirs. Ce n'est pas pour cela qu'il ne vous aime plus, qu'il ne vous désire plus.

···⃗ **La tendresse et les attentions portées à l'autre restent, selon moi, le lien essentiel pour que la sexualité garde un sens. Il me semble qu'un couple peut rester un certain temps sans faire l'amour, s'il sait préserver cela.**

Le saviez-vous ?

Le motif principal invoqué par les hommes pour ne pas avoir de rapports sexuels est le manque de temps (22 %). Pour les femmes, c'est la fatigue (48 %).

Source : *Francoscopie 2007.*

LE SEXE VU PAR
LES FEMMES...

✳ « Avant le mariage, une femme doit faire l'amour à un homme pour le retenir. Après le mariage, elle doit le retenir pour lui faire l'amour. »
Marilyn Monroe

✳ « Je ne sais rien en matière de sexe, parce que j'ai toujours été mariée. »
Zsa-Zsa Gabor

✳ « Le sexe n'est sale que quand on ne se lave pas. »
Madonna

LE SEXE VU PAR
LES HOMMES...

∗ « Je n'ai jamais assisté à des courses de spermatozoïdes mais j'ai donné beaucoup de départs. »
Olivier de Kersauzon

∗ « La dernière fois que j'ai pénétré une femme, c'était en visitant la statue de la Liberté. »
Woody Allen

∗ « La baise, c'est la vie. Fort de cette certitude qui me hante depuis que j'ai ma lucidité et du poil autour, je considère que la femme est un merveilleux cadeau. »
San Antonio

∗ « Ce qu'il y a de plus subtil dans l'homme, c'est la sexualité. »
Louis-Ferdinand Céline

Source : www.evene.fr.

LE MOT DE LA FIN...

Là où il y a du poil,
il y a de la joie.

✳ REMERCIEMENTS

Merci à nos deux bêtes de sexe, Christophe et Adrien.

Merci à tous les couples qui s'aiment et qu'on aime : Marie & Vincent, Malo & Aymar, Marion & Adrien, Lolo & Dom, Eugénie & Gab, Ombeline & Alexis, Fleur & Marc, Valérie & Pierre, Mac & Pec, Fiona & Vincent, Ariane & François, Sophie & Julien, Marilo & Olivier, Viridiana & Julien, Sophie & Irieix, Marie-Aimée & Sixte, Charlotte & Alexandre, Olivia & Thibault, Astrid & Jacquou, Amélie & Ghislain, Orinta & Mickaël, Ninon et Mathieu, Vic & Nicky, Solenne & Jean-Baptiste, Julien & Franck, Diane & Saïk, Célia & Tanguy, Alix & Jm, Diane-Sophie & Yann, Claire & Guillaume, Olivia & Mikaël, Léa & Guillaume, Amélie & Mike, Guyonne & Anton, Camille & Guillaume, Mathilde & Yann, Sophie & Benjamin, Karina & Gonzalo.

Merci à Aurélie, Caroline et Pierre-Olivier, les first de chez First. Et à Marianne Pauti, une sexologue hors pair, pour ses si précieux conseils.

Merci à nos docteurs d'en bas, Lalau-Keraly et Dray qui nous connaissent dans les moindres recoins.

Merci à nos parents et surtout pardon pour ce premier livre sur la sexualité. Et tous les autres qui arrivent, hi ! hi !

Merci à notre amitié en béton armé qui aura décidément tout supporté, même les débats sur « qu'est-ce qu'un cunni réussi ? » à 8h30 du matin...

Aude é Leslie